JN094007

プロパガンダの見破り方

日本の「本当の強さ」を取り戻すインテリジェンス戦略

ケント・ギルバート

清談社
Publico

プロパガンダの見破り方

はじめに

この国のメディアを覆いつくす「プロパガンダ」の正体

この本を手に取った方は当然、プロパガンダに関する知識や対処の方法を知りたいのでしょう。しかし、まさか自分自身がすでにプロパガンダに引っかかっているかもしれないとは、少しも考えていないかもしれません。

それは、はっきり申し上げて甘いと思います。とくに、日本人の場合は。

プロパガンダは、案外、私たちの身近なところにつねにあって、しかも上手(じょうず)に意図を隠しています。そして、私たちがこれから知っていく政治的プロパガンダだけでなく、テレビや雑誌で日ごろ当たり前のように触れている広告、ダイレクト・セールスのトーク、インターネットやSNS(ソーシャル・ネットワーキング・サービス)で接している文章、あるいは「振り込め詐欺」などにも、巧みにプロパガンダのテクニックが使われています。

くわしくは第1章で説明しますが、GHQ(連合国軍最高司令官総司令部)の置き土産がいまだに効果を発揮している現在の日本で、誰が熱心にプロパガンダをしているのでしょうか。もちろん、プロパガンダの主体は正体を隠していることがほとんどですから、推測的で、陰謀論的になってしまう可能性も否めませんが、やはり反日的勢力の影響を疑うべきだと思います。

なぜなら、現状の日本を肯定的に考える人たち、日本をさらにすばらしい国にしようとしている人たちであれば、わざわざ身分を隠してプロパガンダをする必要はありませんし、もしかしたらもっと素朴な話として、現状にとくに不満はなく、何も政治的な動きにかかわらずに生きているだけかもしれないからです。反対に、現状の日本を破壊したいと考えている人たち、日本の国益を殺ぎ、国論をかき回し、PRC（People's Republic of China＝中華人民共和国）や韓国に加担しようとしている人たちは、無責任野党、朝日新聞や日本共産党、あるいは日弁連（日本弁護士連合会）のように堂々とやってくれるのであればまだいいのですが、なかには身分を注意深く隠している組織がいる可能性を念頭に置いておくべきでしょう。

反日的勢力にとって、現在の日本における最大の「敵」は安倍政権でしょう。彼らは世の中で起きているさまざまな問題に意図や正体を隠してかかわったり、ネガティブな出来事をすべて安倍政権のせいにするプロパガンダを仕掛けてきたりします。

もちろん、プロパガンダのすべてが恐ろしい目的で使われている悪質なものだと言うわけではありません。だから、私はプロパガンダを全面的に否定するつもりはありません。重要なコミュニケーション手法です。しかも、使い方によっては、良い意味でも悪い意味でも強い武器にもなるからです。

ただし、自分自身がプロパガンダに引っかかりやすい「体質」なのかどうかは、あらかじめ知っておいてもよさそうです。リスクを実感できますし、自分の体験と照らし合わせることができれば、理解も進みやすくなります。

そこで、本題に入る前に、チェック項目を用意しました。いくつイエスがあるでしょうか。誰に知られるわけでもありませんし、あくまで私が考えたちょっとしたテストですから、気楽に、しかしウソはつかずに、一つひとつのクエスチョンをチェックしてみてください。

Q１　芸能人のスキャンダルが好きだ

Q２　インターネットで買い物をするとき、評価の内容より☆の数値が気になってしまう

Q３　専門家より、身近な人（家族や友人、あるいは好きなタレントなど）の意見を信じ

てしまう

Q４　子どものころ、尊敬していた先生に教えられたことは、いまでもすべて正しいと思っている

Q５　肩書や権威を信じやすい

Q６　地球温暖化を信じ、恐れている

Q７　反射的にリツイートしてしまう

Q８　インターネットの検索結果は、上から順にクリックする

あなたの答えはいかがだったでしょうか。では、解説をよく読んでみてください。

Q１　芸能人のスキャンダルが好きだ

会ったこともない芸能人のスキャンダルを喜んで「消費」している人は危険です。「あんなにかわいい顔をして不倫だなんて」「人のよさそうなイメージでテレビに出てくるくせに裏の顔はひどいものだ」という状態は、本当はどうでもいい情報なのに、それによって思考や興味、関心、情報収集の時間を奪われていると言えます。

そのような情報を得たからといって、自分にとって、いったいなんの得になるのでしょうか。娯楽と片づけるなら別として、そのような情報ばかり見ていることは、情報弱者のひとつのパターンです。

このような情報が人権侵害につながる可能性があるので、他人に伝達する場合、自分も加害者になる可能性があります。道徳的な問題、あるいは人格的な問題でもあります。

私はかつて俳優の石坂浩二（いしざかこうじ）氏とレギュラー番組をご一緒していましたが、あるとき週刊誌に石坂氏の不倫スキャンダルが出たことがありました。心配になって事情を聞くと、まったくのウソで、2、3年ごとに似たような記事を繰り返すのだと笑っていました。要するに、メディアの側でニュースが不足している場合、あるいはその号に強い記事がない場合、でっちあげでも焼き直しでもいいので、スキャンダルをつくってしまうというわけです。

どちらにしても、額面どおり信じている人は、間違った情報で踊らされている代わりに、その貴重な時間でほかの大切なニュースを知ったり、考えを深めたりする時間を失っているのです。

Q2　インターネットで買い物をするとき、評価の内容より☆の数値が気になってしまう

インターネットでものを買う際、またはレストランを探すとき、口コミや評価は参考になります。私自身もそうです。高い評価より、低い評価の文章を、よく読むようにしています。

ただし、極端に高い評価や低い評価の内容を読んでみると、書いている人の偏見、あるいは意図が強く表現されているケースが大半で、本当に参考になる情報は案外少ないのです。ところが、まず目に飛び込んでくるのは「☆5つ」、あるいは「☆1つ」という、視覚的に強烈なポジティブ／ネガティブな情報で、それを見たあとに文章を読むと、よりポジティブ／ネガティブに見えてしまいます。もしかしたら「サクラ」による称賛や、ライバル社やアンチによるネガティブ・インフォメーションかもしれないのに。

ひどいのは、ひとりしかレビューしていない商品の場合です。☆5つでほめちぎっていても、☆1つでけなしていても、評価がひとつしかありませんから全体の星の数もそうなってしまいます。仮に、私の本を評価している唯一のレビュワーが日本共産党員なら、当然☆は1つでしょう。おそらく読んでもいません（笑）。こういう情報はとくに注意し

ながら接したほうがよさそうです。

Q3　専門家より、身近な人（家族や友人、あるいは好きなタレントなど）の意見を信じてしまう

「これを飲むだけで健康になるんです！」……こんなフレーズをよく知らない医師に突然言われたら、警戒するでしょう。怪しい商売だと思うからです。でも、いつもよく見ているユーチューバーなら、どうでしょうか？　ちょっと飲んでみようかな？　と思うかもしれません。

「いま、この暗号通貨（仮想通貨）を買っておけば、近いうちに必ず値上がりしますよ！」……このフレーズを暗号通貨の（自称）専門家から聞かされた場合と、親や親友から聞かされた場合も同じです。前者はどうせ商売だろうとか、あるいは騙されないように警戒するのに対して、後者だと簡単に信じてしまいかねません。

逆の場合を考えたほうがわかりやすいかもしれません。「この暗号通貨（仮想通貨）を買えば必ず損するよ」と専門家が言っているのに、親しい人がすすめればどうでしょうか。私は「ダメだ」や「やめなさい」と言っている専門家のほうを信じやすいです。

ここには2つのリスクがあります。

まず、本当にあなたを騙そうとしている人がいる場合、直接ではなく、まずあなたが信頼している人をいったん騙してから、リモートで操縦する方法もあるということ。

もうひとつは、人は専門性より人間関係で情報の信頼性を判断しがちで、場合によっては専門家より素人の意見を信じてしまうことです。また、この場合、専門家の確かな情報を得るのにお金がかかる場合があります。むしろ、そのほうが確かな情報になる可能性が高い。たとえば、法律の話なのに、弁護士はお金がかかるのでもったいないと言って、専門知識のない親しい人に相談するだけで決めてしまう場合があります。それで問題がこじれて結局、弁護士に相談するしかなくなったときには、より高額な相談料になる危険性があります。

Q4　子どものころ、尊敬していた先生に教えられたことは、いまでもすべて正しいと思っている

あなたが30代以上の読者なら、まだ日教組（日本教職員組合）の教師が幅をきかせていた時代に教育を受けていた世代でしょう。

ただ、これはもっと一般的なリスクとして考える必要があります。生徒が、やさしい先生、尊敬する先生、親身になって世話を焼いてくれた先生を好きになるのは当然です。ただ、その先生もまたひとりの人間にすぎませんから、教えてくれる情報がすべて正しいとはかぎりませんし、場合によっては日教組によって思考をコントロールされているかもしれません。それをわかって接していればいいのですが、子どもは純粋ですから、そのまま素直に信じ、しかもいったん信じたことを一生涯疑わず、座右の銘にしている可能性すらあるわけです。同じ内容を大人になってからよく知らない人に聞かされれば、すぐに手元のスマートフォンやパソコンで検索して信憑性を確かめるはずなのに。10分もあれば十分です。

ということは、子どものころから信じ続けている情報、あるいは信念のようなものについても、一度、本当なのかどうか、せめて反論はないのかについて、確かめる機会をつくっておいたほうがいいでしょう。これは、親や会社の上司、先輩などから得た情報も同じです。

Q5 肩書や権威を信じやすい

テレビショッピングを見ていて、司会者やタレントが「これを飲むといいですよ！」といくらアピールしても気にならないのに、白衣を着た○○大学教授のグループが「この商品には健康にいい成分が含まれている可能性がある」と答えている映像を見ると途端に信じてしまう。あるいは、雑誌やインターネットの広告を見た際、キャッチフレーズは目に入らないのに、識者風の人物の肩書と顔写真つきで「この商品にはいつも助けられています」などと書かれていると信じられるような気がするのは危険なサインです。

可能性がある、という言い方は、論文を書いて仮説を説明できていればできる表現です。つまり、「かもしれない」だけです。そういう意味では必ずしも間違った情報ではないのですが、「○○大学」とか、白衣を着た人のインタビューが入るだけで急に信じられるようになってしまうわけです。

もっとひどいのは、「○○大学教授」が自分の専門分野とまったく関係ないことにコメントしている内容も、なぜか肩書があると鵜呑み（うのみ）にしてしまいやすいこと。「これでやせた」とか、「これでよく眠れた」というのはたんなる個人の感想ですが、肩書と組み合わされると急に信じられるというのは、あなたが権威や肩書に弱いサインです。

テレビで「この製品で生きている！」と叫ぶ芸能人がいますが、そうではなくて、「この製品を宣伝することによって得られたお金で生きている」ということでしょ？

Q6　地球温暖化を信じ、恐れている

最近の異常気象、あるいは「北極の氷が溶けてホッキョクグマの住みかがなくなっている」などをもって地球が温暖化している、というのはよく言われている議論です。それが人間の活動によるものであり、人間みずから温暖化を止めなければならないという論は、一種のエセ科学と言わざるをえません。控えめに言って少なくとも現在まで温暖化が人為的なものかどうかはわかっていません。長い地球の歴史のなかで起こりうる変化かもしれません。

しかし、アメリカのビル・クリントン政権で副大統領を務めたアル・ゴア氏に代表される人たちはかなりの力を持っていて、パリ協定に代表されるように、すでに国際的な活動になりつつあります。とくに問題なのは、「グリーン・ニューディール」という非現実的な近代文明を否定する思想を推奨していることです。そして、この温暖化が大問題だというプロパガンダがあまりに広がりすぎ、小学校の先生がしつこく恐怖を強調して、この

「仮説」を「事実」として生徒に教育しているのです。そのため、アメリカではノイローゼ気味になっている生徒もいます。いくらハードに勉強しても地球が滅びるなら意味などないではないか、と悩んでしまいます。

日本に置き換えれば、災害の恐ろしさをあまりに強調すると、恐怖からかえって無力感に陥って何もできなくなる、という現象に似ています。本当に大切なのは起きうる災害に備えてリスクを減らすことなのです。アメリカの極左議員などの一部は、「このままでは地球があと12年しかもたない」と言っています。

環境問題や災害に関して、物理学者で作家の故・寺田寅彦の有名な言葉があります。

「ものを怖がらなさすぎたり、怖がりすぎたりするのはやさしいが、正当に怖がるのは難しい」

Q7　反射的にリツイートしてしまう

ツイッターを見ていて、気に入った投稿、あるいは気にさわった投稿を反射的にリツイートしてしまったり、中身や背景を読まずに挑戦的なリプライを送ってしまったりすることも、じつはプロパガンダに騙されやすい傾向を示しています。

私のツイートを広めていただくのは大変ありがたいことです。ただ、私は自分がツイートした直後、ほとんど瞬間的に「いいね」がついたり、リツイートが広がったりする状況を見ていると、内容を読んでくれているのか、リンク先の記事を見に行ってくれているのか不安にもなります。ケントが言うことであればなんでも信じられる、というのは信用いただいている証拠です。しかし、そういった行動に慣れてしまうと、見出しだけ、あるいは情報の1行目だけですべてを判断してしまうことにもなりかねません。じつは、私はこの現象を認識しているので、必ず1行目に力を入れていますよ。

そして、そんなにいないのですが、私にいちいち反論のリプライを送りつけてくる、いわゆる「アンチ」も、ほとんど投稿を読んでいません。ケントが言うことはなんでも反対、なんでも文句を言いたくなるのでしょう。ちなみに、私はめったに人をブロックしません。私の投稿を議論の素材として提供しているつもりなので、真面目な反論はむしろ歓迎です。

すべては本来、是々非々です。考えたり、検証したりする機会を持ってくれればいいのですが、プロパガンダに毒されるとそんな面倒なことはしなくなるのです。

Q8 インターネットの検索結果は、上から順にクリックする

いまや知りたい情報があれば、まず検索エンジンで調べます。辞書を引いたり、雑誌や新聞を探しに図書館に行ったり、くわしい人に話を聞いたりすることはめずらしくなりました。とても便利になっていいのですが、検索エンジンを使っている以上、私たちはプロパガンダの被害に簡単に遭うリスクがあることは、あまり知られていません。

キーワードを打ち込めば、そこからビジネスに結びつきやすいサイトが、検索結果としてクリックしやすいところに表示されるようになります。あなたがユーザーとしてどんな事柄に関心を持っているかも知られてしまいます。検索エンジンは、そういったかたちの広告を販売している業者だからです。でも、ほとんどの利用者は、検索結果がビジネスで取引された結果によって変わってくるなどとは知りません。上から順にクリックするわけです。

では、検索エンジンが政治勢力とビジネスをしていたら、あるいは検索エンジン自身がなんらかの「政治性」を帯びていたらどうなるでしょう？　彼らの考えに沿っているキーワードにはポジティブな情報を、そうではない場合はネガティブな情報を優先的に表示することなどお手のものではないでしょうか。広告とプロパガンダは裏表です。

さて、イエスはいくつあったでしょうか。厳しいことを言うなら、このなかにひとつでも該当するものがあれば、十分にプロパガンダが心に忍び込んでくる余地がありますし、すでになんらかのプロパガンダに引っかかっている可能性が十分あることになります。

いくつかの項目で、私は広告や宣伝の例を挙げました。プロパガンダは広い意味では宣伝そのもの、伝えようとする行為そのものです。何かを売ろうとしている広告も、何かを主張しているメディアも、自覚的かどうかは別として、すべてプロパガンダです。私が好んで見ているFOXニュースだって、最初から最後までプロパガンダです。

いつ、どんなニュースを流すかは、すべてメディア側が選んでいます。受け手である私たちはその基準を知りません。

2004年に、コロンビア大学のハーバート・J・ガンズ教授は、"Deciding what's News"(ノースウェスタン大学出版局)で、アメリカの夕方の全国テレビニュースのネタの選び方について、4つの要件を重要さの順に紹介しました(引用者訳)。

①取り上げる人物の政府機関およびその他の階級組織での地位
②国家と国益への影響

③大勢の人に与える影響
④過去と未来の意義

本来なら、以上の基準で出来事を公平に報道すればいいのですが、一部メディアを除いて、アメリカのメディアは全体を通して左寄りに偏っています。したがって、メディアから得た情報を鵜呑みにすることができません。

日本のニュースも本来ならアメリカと同じ基準があると思いますが、ほとんどの報道番組は政治的な意図を全面的に打ち出しています。打倒安倍、反権力のための反権力、自虐史観、リベラル思想、愛国心の否定、現安保体制への不満、反自衛隊、護憲などが代表的なところでしょう。

反対に、日本のニュースにはときどきニュース性が薄い内容（花が見ごろを迎えたとか、お祭りやイベントがあったなど）が流れます。さすがにそのニュースにプロパガンダとしての要素はないでしょうが、しかし本来流すべきニュースがあるのに、無害なニュースで覆い隠すという意図であればひとつの道具として役割を果たせます。

新聞、雑誌、本などの印刷媒体はほぼ無制限で言論の自由が憲法で保障されています。

名誉毀損と実害を除いて、ウソさえも報道することが許されています。そこで、新聞がウソを報道していることに不満を感じる人は、別の新聞を立ち上げて反論すればいいのです。容易なことではありませんが、その自由はあります。現在は、おそらく電子媒体になるでしょう。この積極的な議論は民主主義が基礎を構成しています。

ただし、放送媒体の報道番組は、放送法を遵守する義務があります。くわしい説明を第3章で紹介します。

私は日本に長年住んでいる外国人という、少し変わった立場にいる人間です。ときどき、なぜこんなに長く、しかも自発的に日本にいるのか考えることがありますが、ひとつの答えは、「みなさんを混乱させるため」なのかもしれません。

決まり切っていて理由を探るとかえって面倒がられることも、固定概念を崩すようなことも、外国人の私なら知らんぷりして声に出せます。かつて私は東京湾アクアラインの開通前、料金をいくらに設定すべきかを決める委員会に呼ばれ、委員になったことがあるのですが、そこで「たった15㎞に5000円を払う人間がどれだけいるか」とか、「夜間は安く、昼間は高くした変動料金制にすればいいのではないか」などと意見を述べて、ずいぶん変な顔をされたことがあります（笑）。彼らのなかでは5000円徴収しなければ建設費を回収できないことが前提となっていたのですが、私にとってはそんな事情はお構いなしに考え、意見を述べることが、せっかく呼んでいただいたことへのお返しだからです。当時は採用されませんでしたが、あまりの不評ぶりを受けて、結果的に通行料金は段階的に引き下げられていきます。

私はあくまで部外者として日本に貢献したいと思っています。日本はとても独特な社会であるために、すばらしいところもたくさんありますが、同時に世界から見て過剰に甘い、無警戒な社会でもあります。その典型例としてプロパガンダに対する無理解や危機感のなさが容易ならぬ状態です。

加えて、先進国ではおそらく唯一、スパイ防止法がありません。結果として、日本はプロパガンダを仕掛ける側にとっての費用対効果、簡単に言えば「コスパ」がとても高い国になってしまっています。

8つのテストでハッとしていただけたら大変幸いです。本書では、私が部外者として、プロパガンダが日本社会をどうねじ曲げているかを考えながら、同時にプロパガンダの具体例を探り、それに対抗していく方法を考えます。

ついでにつけ加えます。プロパガンダについて知れば、結局、宣伝のテクニックを身につけることにもなります。使い方によってはビジネスで成功してお金持ちになれるかもしれませんし、恋愛や人づきあいもうまくいくかもしれませんね。

プロパガンダの見破り方 **目次**

第1章 日本人がプロパガンダに騙されやすい理由

第2章 プロパガンダの情報操作メカニズム

第  章

プロパガンダ機関に成り下がった日本メディア

第章

プロパガンダの魔の手から日本人を守るには

第5章 徹底解説!「7つの手法」と「67の洗脳テクニック」

第1章

日本人がプロパガンダに騙されやすい理由

なぜ、日本人はハワイが安全だと信じて疑わないのか？

日本人は、その歴史的、地政学的、文化的な背景から、たやすくプロパガンダに引っかかってしまう傾向にあります。なぜなら、性善説が社会の前提になっているからです。

これを示す、シンボリックなエピソードを紹介しましょう。

かつて私は、ある日本のテレビ番組に同行して、ハワイの警察に3日間、密着取材をしたことがあります。すると、犯罪の被害に遭った日本人に次々に出くわします。

なかでも忘れられないのは、ビーチで財布を取られてしまったという人でした。警官が被害届を受理するため、くわしく事情を聞きます。その様子はこんな感じでした。

「財布はどこに置きましたか？」

「日光浴をしていたところの枕の下に置いていました」

「枕の上で寝ていれば持っていかれないでしょう」

「いや、ちょっと泳いできたら、なくなっていました」

「なぜ、ビーチに貴重品を持ってきましたか？　部屋にセーフティーボックス（金庫）が

あったのでは?」

「ありましたが、一緒に来た友人が『セーフティーボックスに入れたらかえって盗まれるかもしれない』と言っていたので……」

これにはさすがに警官も私も呆(あき)れてしまいました。彼女が宿泊しているのは世界的に名の通った一流ホテルでした。つまり、彼女は、アメリカの立派な事業者が用意しているセーフティーボックスより、一緒に旅行に来ている、おそらく海外の事情にはくわしくなさそうな日本人の友だちの説を信じてしまったのです。

ただ、同時にとても日本人らしい思考だとも思いました。

まるで、日本国憲法前文のリスクをそのまま表しています。前文は「平和を愛する諸国民の公正と信義に信頼して、われらの安全と生存を保持しようと決意した」と高らかに謳(うた)っていますが、この彼女は、財産を守ってくれる武器(セーフティーボックス)の存在がかえって犯罪者を引きつけやすいと考え、同時に枕の下に財布を置き、取ったことがバレない状況であっても取ってしまう人はいない、まさか取られないだろう、という考えでいたわけです。あまりに性善説に毒されています。

ハワイで短時間にさまざまな事件を見た私は、日本人観光客の無警戒さに驚かされるばかりでした。華やかなワイキキビーチの近くには、当時もいまも、治安の決してよくない地区があります。ハワイには貧しい人も少なくありません。そうした事情に無頓着なだけでなく、自分が泊まっているホテルが明らかにお金持ち向けのランクであること、そして自分の姿がどこからどう見ても日本人観光客で、しかもブランド名丸出しの派手な服を着て、いかにも小金持ち風に見えることのリスクなど少しも考えずに、散歩と称して気ままに危険な地域に足を踏み入れたりしているのです。地元の人なら決してしないことです。初めての海外旅行でよく知らないのなら、なおさら事情をよく知る人から情報を得るべきなのに、性善説に毒されすぎ、恐るべき無警戒さで「なんでも大丈夫」だと思い込んでしまうのです。

日本人スタッフ6人と一緒にホノルル市内を歩いていて、売春婦に誘われなかったのは、最も身なりがいい私だけでした。警察の話によれば、誘われたら日本人男性はすぐに女性と一緒にホテルの部屋に入ります。「シャワーを浴びますか」と言われた男性は、すっぽんぽんでバスルームから出てきたときに自分の金品がすべて、それこそ「きれいに」消えていることに気づきます。男性は、被害の届け出はするけれども、日本で待ちわびている奥さまにバレた場合の怒りを恐れて、法的措置を取らずに、泣き寝入りをする。これが通

常のパターンだそうです。警察としては被害者の協力を得られないので、加害者を起訴することができなくて大変困っていると署長が不平を言っていました。

日本人の「性善説」が生んだ振り込め詐欺被害

ハワイの例は、そのまま日本人全体の性善説の強さを示しています。まさかそんな恐ろしいことはないだろうとか、他人はみんな善人だ、むしろ他人を疑うことそのものがいけないことだ、という考え方が広くいいものだと考えられているために、世界でもまれに見る「プロパガンダに引っかかりやすい人たち」になってしまっているのです。

人を疑わないことが必ずしも悪いというのではありません。日本国内で、伝統的な国民性を維持している日本人だけで暮らしているのなら、それなりに注意していればそれでいいのでしょうし、それでよかったからこそ、いままで治安のいい国を受け継がれてきているのでしょう。ただ、現在、日本国内で暮らしているすべての人間が同じ価値観を持っているのでしょうか。もっとわかりやすく言えば、あなたは部屋に鍵をつけていますか？

48年前に私が九州で暮らしていたとき、一部の都市部を除いて、玄関に鍵をかける人はいませんでした。エアコンもなかったので、窓を開けっ放しにして寝ていましたし。

ほかの本でも紹介した出来事なので恐縮ですが、1972年の前半、北九州市小倉区（現在の小倉南区）の国道沿いに住んでいました。古い自転車を持っていました。いつも鍵をかけずに、3階に住んでいる建物の前の歩道に置いていました。半ば、いつになったら盗まれるかの実験でした。結果を言うと、5カ月目に持っていかれました。

また、全世界の人が日本人のように他人を疑わず、信用することを前提として生きていければいいのですが、それが難しいことは、いま多くの日本人が感じているはずです。最も近い国、日本、PRC、韓国で比べてみましょう。子どもを学校に送り出すときになんと言いますか？　日本では、「みんなと仲よくしてください。仲よくしましょう」と言います。韓国では、「一番になりなさい」、または「負けるな」と言います。PRCでは、「騙されないようにしなさい」と言います。このような幼児教育を受けた人たちを相手にして性善説外交を行えば、ナメられますよ。ちなみに、アメリカでは、「Be good ＝正しいことをしなさい」と言います。

一方で、世界ではすべてにおいて性善説が無効かというとそんなこともありません。典型は交通信号です。信号が赤なら止まらなければならない、というルールは世界中のほとんどの人が共有していますが、これを裏返せば「自分の側の信号が青なら、反対から赤信号を無視して突っ込まれることはないだろう」という性善説、相互の信頼が成立していることを示しています。ただ、日本の場合は信頼のラインが高すぎます。振り込め詐欺はそのおかげで成立しているわけです。

あまり人を疑わない、疑うことをよしとしない社会は、それだけ悪人が少ないことを示しています。これは同時に、悪人が少ないなかであえて悪人でいると、いいパフォーマンスを得られるということでもあります。

江戸(えど)時代の日本であれば、共同体からの孤立は「死」を意味しますから、多少のいざこざがあろうと、互いにある程度は信頼するし、信頼されようとします。それはきわめて日本的な社会を生み出す原因になりましたが、同時に開国をさせるためにやってきた国々にはうまく利用されてしまう背景にもなっているわけです。

GHQの「洗脳」にいまだにかかっている日本人

アメリカは、日本人の性善説によるメリットを少なくとも2度受けている可能性があります。まずは開国以後、そして戦後の占領政策です。

日本のような性善説など持っていないアメリカは、戦後の占領にあたり、相当緊張していたはずです。ただでさえ自分たちは性善説ではないのに、ましてやついこの前まで死闘を繰り広げていた相手を簡単に信じられるはずはありません。そこで、GHQは絶対的な権力をもとに徹底した情報工作を行って、戦前の日本を抹殺しようと試みました。いわゆる「WGIP（ウォー・ギルト・インフォメーション・プログラム）」による洗脳です。すでに『まだGHQの洗脳に縛られている日本人』（PHP研究所）をはじめ、何冊も本を書いていますので繰り返しませんが、要するに戦前の日本は悪であり、愛国心もよくないことであって、GHQやアメリカ、そのほかの連合国を批判することは許されず、日本人は大いに反省しなければならず、軍隊や戦力は悪いものであって、平和は諸国民の公正と信義に信頼することで守ることができると、さかんにプロパガンダを行ったわけです。

日本人であろうと、戦前も戦後も、マスコミを全面的に信じていたわけではない人は少なくないと思います。さすがに、食べ物が不足し、毎晩どこかが空襲の被害を受けている敗戦直前まで大本営発表を100％鵜呑みにしていた人は少数派だったでしょう。しかし、礼儀として、マナーとして疑ってはいけなかったし、日本人も表立って疑うことをよしと

はしませんでした。それは、GHQのプレスコード（検閲制度）に縛られててのひらを返した戦後のマスコミに対しても同じでしょう。

　マスコミ側もおそらく同様で、戦前は軍部や情報局の意向に反して書きたいことを書けたわけではないため、戦後、GHQがやってきても、やはりどうせ書きたいことは書けないのだとすんなり移行できたわけです。こうしてマスコミはつねにプロパガンダの片棒を担ぐ機関になり、真実を追い求めることへの関心を取り戻そうとはしませんでした。

　違いは、そのプロパガンダの先にあるものが戦力的、国力的な破綻なのか、世界最強のアメリカの「支配」を受けることなのかという違いだけです。前者は終わりが見えていますが、後者はある意味、いまだに続いているわけです。

　GHQが使ったいくつかのプロパガンダのテクニックは第5章で説明しますが、つまり日本では、結果的にGHQが力を尽くしたプロパガンダがききすぎてしまったのです。75年が経過したいまでも平和憲法が平和を守ってくれていると信じ、海の向こう側に習近平（しゅうきんぺい）が恐ろしい帝国を構築して抵抗する香港（ホンコン）の人々を圧迫しようと、まだ日本を守る戦力が悪であるという考え方の欺瞞（ぎまん）に気づかない人が少なくありません。いつまでたっても自虐史観で、日本がすべて悪く、決して日本が力を持ってはいけないと考えているのです。インターネットの登場と普及によって、ようやく最近になって客観的に考えられる人が増えてきましたが、ここまで日本人が性善説で生きていたなど、当時、洗脳をしていた側のGHQでさえ予想外だったに違いありません。

「伝聞」を鵜呑みにしていないか

性善説にはさらに恐ろしい罠(わな)が隠れています。いくら自分の性善説ぶりを反省し、プロパガンダを警戒しても、自分が信頼している周囲の人たちが性善説を信じてプロパガンダに騙されていると、間接的に騙されてしまうリスクが高いからです。

信頼している相手、疑いようのない相手の言うことは、さすがに性善説を強く信じていなくても信じやすいものです。むしろ、赤の他人を信じない人ほど、信頼できる人の情報を信じてしまうし、信じてあげたくなります。親が言うこと、配偶者が言うこと、何十年とつきあってきた親友が言うことであれば、少なくともいきなり真っ向から否定はできません。

私の職業は弁護士ですから、まず、人を信じないことが仕事だと思っています。証拠を

確認して初めて信じます。そこで、絶対的な原則として「伝聞による証拠」は裁判で採用されないというトレーニングを受けています。アメリカの裁判ドラマがお好きな方なら、よく「異議あり！　伝聞証拠です！」と弁護士や検事が叫ぶシーンを見たことがあるでしょう。「誰々がこう言っていた」という証言は採用されません。その内容を採用させるには、もともとの発言をした本人を連れてきて宣誓証言をさせなければなりません。

弁護士は、依頼人の考えであろうと、伝聞でしかない情報を鵜呑みにはしません。同時に、たとえ私の妻や子ども、親友であろうと、彼らが語っている内容が伝聞や噂ではないのか、みずから証拠になれる証言なのかについてはつねに注意しながら聞いています。同時に伝聞なのであれば、話している相手への信頼度だけでその内容を受け入れることはせず、伝聞のソースはなんなのかだけに注目するようにしています。

できれば相手にも伝聞の危険性を伝えたいところではありますが、日常生活でそれをし始めればさすがにトラブルを起こしかねません。その代わり、証拠や一次資料を確認しないかぎり、そのまま信じないし、他人に絶対に私から伝えません。また、はっきりした証拠や一次資料を確認でき、その情報がウソだとわかったのなら、誤った情報を伝えてきた身内にやさしく教えることにしています。

「ブーム」の多さはプロパガンダに騙されやすい証拠

こうした背景を考えれば、日本はプロパガンダを仕掛ける側にとって、非常にコストパフォーマンスがいい国です。性善説が成立している社会では、プロパガンダで騙そうとする人が少なく、プロパガンダを疑う人も少ないからです。

もうひとつ、わかりやすい例を挙げましょう。日本という国は「ブーム」が起こりやすいと思いませんか？　アメリカでもあれこれブームは起こりますが、日本ほど大規模ではないと思います。私は自分があまりブームに影響されない人間だからなのか、これだけ長く日本で暮らしていても、よくもこれだけいろいろと新しいブームが起きるものだと感心してしまいます。最近ならタピオカでしょうか。ずいぶんお店が増えましたが、観光客の増加もあり、繁華街ではゴミや飲み残しの放置が問題になっているようです。

かつては、ルイ・ヴィトンの大流行がありました。1985年のプラザ合意で急速な円高となり、輸入品がそれまでの半額で買えるようになりました。その後、バブル経済へと向かっていく好景気が続いたと記憶していますが、当時は、本当に高校生や女子大生、そしてマダムにいたるまで、誰もが同じモノグラム（ブランドを代表する複数のマークを規則的に配置した柄）のバッグを持っていたことをはっきり覚えています。

私が不思議だったのは、アメリカなら、そしてルイ・ヴィトンの母国であるフランスでも、おそらく、流行に敏感な女子大生が「人と同じであること」をあまりいいこととは考えないのに対して、日本ではどうして、むしろ進んで同じものを競うように入手し、見せつけるように使うのかでした。

個人主義の国では、人と違うことに個性や価値を見いだします。したがって、自分の外側で起きていることにどうすれば影響されにくいかを考えるようになります。でも、日本では、自分の外側で起きていることに対して同じであることを好み、あるいは同じでなければいけないというプレッシャーを感じているように見えます。

たいしておもしろくもないワイドショーやスポーツ新聞が廃れない理由もここにありそうです。見ている本人は心からつまらない、くだらないと思っていても、いま世の中で何が話題になっているかをチェックしておくことは、他人と話を合わせるための重要な素材になるからです。アメリカ人なら、興味のない話題には「知らない」「興味ない」で済ませてしまいます。

他人と同じでなければならない、他人の考えをよく知っていなければならないという考え方も、プロパガンダが簡単に広がりやすい日本のベースになっているのではないでしょうか。いったん流行(はや)らせてしまえば、むしろ相手側からわざわざ情報を取りに来てくれるのですから。その代わり、ブームが終わるのも早いので、流行で商売している業者は、タイミングを見きわめなければ、大きく損する可能性があります。

比較広告よりイメージ広告が多い日本のテレビCM

もうひとつ、アメリカ人の私から見て、非常に特徴的なことを指摘しておきましょう。日本には、あからさまな比較広告がありません。

日本では比較広告が禁止されているわけではありません。ただし、消費者庁のホームページを検索すれば、景品表示法上、「著しく優良又は有利であると一般消費者に誤認される表示などを不当表示として規制してい」ることがわかります。少なくとも、アメリカのように、テレビCMで日々当たり前のようにライバル企業や製品との比較広告が行われている状況ではありません。

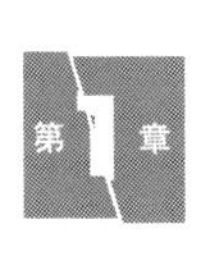

ところで、この本の冒頭でも述べたとおり、モノやサービスを売ろうという広告はそれ自体がプロパガンダです。存在を知らなかった人には自社に有利な点を、存在を知っている人にはネガティブな情報を取り除き、ライバルをけなすことにポイントを置きながら、買ってくれるようにあの手この手で仕向けるわけです。

日本では比較広告がほとんどできない分、CMはイメージ先行になります。具体的なデータや数値より、「さわやか」とか「すてき」とかいったフレーズが強調され、美男美女や子どもが出てきてきれいな景色のなかで笑顔を見せるようなものが多くなります。企業そのもののイメージ広告もさかんです。

わかりやすい例として生命保険や医療保険を挙げましょう。日本で保険のCMといえば、幸せそうな家族、笑顔の子どもやペット、人生の後半を謳歌(おうか)している小粋な高齢者などが登場し、この保険に入れば幸せな暮らしに近づけるようなイメージを強調します。あるいは、病気になったりケガをしたりしたシーンを描きながら、その保険があれば安心だというミニドラマを展開したりもします。不安を解消し、幸せをサポートすることがメインのメッセージです。

アメリカならまったく違ったものになるでしょう。自社の商品とライバル会社の商品を、価格表と保障内容を明示して比較し、うちの商品のほうが明らかに有利だとはっきり主張します。テレビの前のアメリカ人もバカではありませんから、「派手に相手をけなし、自分の商品を誇っているけど、本当なのか?」という意識をつねに持ちながらCMに接しています。そのまま信じたりはせず、いったん自分で考えるという段階を踏むわけです。ましてや、イメージだけで動かされたりはしません。

日本では、そもそも価格表を出して保険を宣伝することが認められていません。私だったらとても当惑します。何をもとに保険商品を選べばいいのかわからないからです。イメージだけで大切なお金を使いたくはありません。

薬も、健康食品も同じです。効果や価格を宣伝に使いにくく、誰がイメージキャラクターを引き受けているのか、商品名の知名度、CMの露出度、パッケージのデザイン、会社のブランドイメージの良し悪し(あ)などで決めているのが日本の現状です。

日本でもアメリカでも、広告宣伝はすべてプロパガンダです。ただ、プロパガンダがイメージ戦略だけで行われ、受け止める側もそれにあまり疑問を感じていないという状況は、私から見るととても恐ろしいのです。情報が遮断され、競争の原理が働きにくく、判断材料がないから身近な人の情報を無批判に信じてしまいます。しかも、日本人は、そういった状況への危機感がなさすぎます。

幼稚園児をターゲットにした「ママの会」を警戒せよ

こうした背景がある日本では、日常的なシーンで大胆なプロパガンダが行われていても、気づきにくい社会が形成されていると感じます。

憲法第9条を守ろうという運動があることはご存じのとおりです。この本は憲法論ではありませんから、その是非についてくわしく論じることはやめましょう。ただ、彼らのプロパガンダがどのようなやり方で行われているかは非常に興味深く、日本人のプロパガンダへの無警戒さ、そして身近な人を信じてしまう性質を巧みに利用していると感じます。

2015年、平和安全法制（安保関連法）が審議されているころ、学生団体の「SEALDs（シールズ）（自由と民主主義のための学生緊急行動）」などと並んで、いわゆる「ママの会」という組織が現れたことはご存じでしょうか。これは正確には、「安保関連法に反対するママの会」という名称で、日本共産党や、警察から極左暴力集団と呼ばれる中核（ちゅうかく）派（は）（革命的共産主義者同盟全国委員会）とつながりがあるといわれる西郷南海子（さいごうなみこ）氏が発起人を務めました。

幼いお子さんをお持ちの読者の方なら、もしかしたらピンとくる方もいらっしゃるかもしれません。この団体は主な活動の場として幼稚園を選び、保護者のコミュニティーに入り込んで反日デモを組織しています。安倍政権が目指す憲法改正は「戦争への道」であり、やがて徴兵制を招くと主張し、「誰の子どもも殺させない」などというスローガンが書かれたビラをまいたり、講演会を開いたりして宣伝します。問題なのは、普段、政治的な話題に関心の低い保護者を、「あなたのかわいいお子さんが兵隊に取られ、ほかの国の人を殺してもいいのですか？」という理屈で誘導し、そのうえ子どもまで動員してデモ行進を組織するという手法です。ここには、「真実を一部含む虚偽情報」(第5章、216ページ)、あるいは「(声明や質問について)連想を生じさせる意味合いを含み、しばしば誤解させたり影響をおよぼしたりするよう意図する言葉」というプロパガンダのテクニック(同221ページ)が透けて見えます。

デモに子どもが参加していると、CMと同じ理屈でつい気持ちを許してしまう可能性が高くなります。プロパガンダには、タレントや美男美女を使って主張を飲み込ませる「ビューティフル・ピープル」という手法(同200ページ)がありますが、彼らはそのしくみをよく知っているからこそ、子どもをわざわざ動員するわけです。

子ども本人への影響も心配です。幼い子どもは何よりまず親を信じます。政治的なニュースを何も知らず、ましてや理解もできないのに、まんまとプロパガンダに引っかかってしまった親に連れられてデモに参加すれば、一生その中身を疑わず、検証するチャンスもないまま生きていくことにもなりかねません。

少しだけ彼らに反論しておきましょう。当時、議論されていた平和安全法制の成立によって徴兵制の議論が高まったでしょうか。今後、憲法第9条が改正されたとして、海上、航空兵力がメインの日本で、ましてやミサイルや無人兵器、サイバー戦がメインとなりつつある現在の世界において、徴兵制が議論されることがあるでしょうか。そもそも、第9条だけ変えても、第18条で徴兵制が違憲だと解釈されているはずです。

日本の教育現場に自虐史観がはびこる理由

学校でも、日本国憲法の三大原則を教えています。基本的人権の尊重、国民主権（民主主義）、平和主義の3つです。私が講演をするときに、最前列に座っている人に、「平和主義とは何か」と聞いたりします。具体的な説明ができる人はほぼ皆無ですが、あえて言うなら、「戦争をしないこと」だと言います。

つまり、平和主義者は、もっと正確に表現するなら、「非戦争主義」、または「不戦主義者」です。ここで私は大きな矛盾を感じます。戦争しないとは平和なのですか？　これは「不合理な推論」だと思います（第5章、179ページ参照）。

不戦主義には、3つの危険性があります。

①みずからが戦って国を守らない場合、国際法だけでは安全を保障することが不可能なので国家の存続が危ない。滅亡するリスクを負っている。誰が国を守るのか。国連に期待しても無理だし、国連のなかで日本は敵国指定を受けている。安保条約のもとでアメリカが守るかもしれないが、それはアメリカの国益にかなった場合にかぎられる。やはり、「諸国民の公正と信義に信頼する」のか。

②敵国に領土や人命を搾取される。

③同盟国に「ただ乗りしている」と批判される。

こんな危険性を無視して、新興宗教のように憲法第9条第2項に絶対に守られると信じるのは、プロパガンダにとらわれている状態だと感じます。アメリカの占領政策の柱のひとつは、「武力を通じて日本を守ることが悪だと信じさせること」でした。お見事、成功したようです。

ママの会には共産主義者が入り込んでいます。そして、幼稚園にとどまらず、教育機関は、みずから考える力が備わっていない子どもを相手にしているために、プロパガンダの目標になりやすいのです。「平和主義」を唱える日教組の組織率はかなり低下したとはいえ、文部科学省の調べによれば２０１８年10月で22・６％もあります。とても無視できるようなものではありません。

彼らは長年、自虐史観にもとづいた教育を続けています。これは、英語でDemoralization（自信や自尊心を失わせる）と呼ばれているプロパガンダの手法です（第５章、２０４ページ参照）。その結果がどんな人間を生んでいるのか、先日ハッとさせられるメールを読みました。私が運営していた有料ブログに送られてきたものです。

「子どものころ、母に日本はアジアをはじめ多くの国にひどいことをしたのだから、非難されてもしかたがないと聞かされました。そのため中国や韓国が反日をしても当然だと思っていました。反日行動に対して批判を行うことは、加害国として許されないと思っていました。ただ被害者だからつねに自分たちが正しいと主張し、日本を非難し続ける中韓に疲れ、日本が置かれている状況に思いをめぐらせることにも疲れ、見ない、聞かない、考えないというふうに無関心になっていました」

案外、多くの日本国民が、いまでもこのような状況なのではないでしょうか。かつては政治的な主張を強くする人たちの多くが左派で、自虐史観が前提となっていました。たとえ疑問があっても性善説があるために正面から否定するわけにもいかず、まあそんなものかと思っていたわけです。同時に、お母さんという最も信じたい相手から聞かされた情報は容易に疑えないということでもあります。

こうして、国民全体が、国防に対して白紙、ノーアイデアになってしまいます。この方は自覚できたのですからまだいいほうです。まったく考えたこともない人は、怪しい人たちに「お宅の○○ちゃんを兵隊にしたいの?」と言われてしまえば、簡単に感情を動かされ、旗や横断幕を持ってデモに参加してしまうばかりか、子どもにも同じ内容を植えつけてしまうのです。Appeal to fear（恐怖に訴える、第5章、197ページ）というテクニックです。

『主戦場』――ドキュメンタリー映画という名のプロパガンダ

私がプロパガンダに怒りを隠せないのは、最近、直面したある出来事の影響があると言わざるをえません。

ご存じの方も多いと思いますが、いわゆる「従軍慰安婦」問題に関してさまざまな主張のインタビューを集めて製作した映画『主戦場』（ミキ・デザキ監督）に、私も出演しています。ジャーナリストの櫻井よしこ氏や教育評論家の藤岡信勝氏、衆議院議員の杉田水脈氏なども同じですが、上智大学の大学院生というミキ・デザキ氏から、「大学院の卒業製作」としてドキュメンタリー映画を撮影しているのでインタビューに応じてほしいと頼まれ、私の考えを述べたわけです。しかし、実際は商業向けに上映される映画であっただけでなく、私やほかの保守系識者のインタビューを「歴史修正主義」と決めつけ、観客に強くネガティブな印象を与えるよう編集されている点です。これは「レッテル貼り」（第5章、190ページ参照）と「ネーム・コーリング」（同192ページ参照）という典型的なプロパガンダの手法です。

私たちはそのような意図を当然、事前にいっさい聞かされておらず、客観的に見ればさまざまな意見があるイシューに対して、明らかに中立性を欠いている作品になっています。もっとも、これは映画であり放送ではありませんから、放送法の規制を受けるわけではありません。ただ、意図を隠して撮影の許諾を取りつけ、私たちの主張や考えが不利に見えるような演出を行い、ましてやそこから収益まで得ているわけです。映画のポスターには私たちの写真まで使われています。

映画はただでさえ感情を容易に動かせるメディアです。撮影の手法、見せていく順番、音楽などの演出テクニックによって、同じ素材をプロパガンダに転用できることは、昔からつくられてきた多数のプロパガンダ映画でわかることです。

「全部アベのせい」の背後に潜むものとは？

ＧＨＱの置き土産がいまだに効果を発揮している現在の日本で、誰が熱心にプロパガンダをしているのか。それはやはり反日的勢力の影響を疑うべきだということは「はじめに」で述べました。

ネガティブな出来事をすべて安倍政権のせいにするプロパガンダのひとつの代表例はＬＧＢＴ、いわゆる性的少数者（セクシャル・マイノリティ）にかかわる運動です。ＬＧＢＴの権利を主張する運動に、反日的勢力は正体を隠して入り込みます。

私の友人である、ひとりのゲイがいます。彼が東京で行われた東京レインボープライドというパレードに参加したら、そこに立憲民主党の枝野幸男代表や国民民主党の玉木雄一郎代表、日本共産党の小池晃書記局長、社民党（社会民主党）の福島瑞穂副党首などが参加していたことにずいぶん怒っていました。さも善良そうな顔をしてＬＧＢＴの味方のようなことを言いながら、ＬＧＢＴのイメージを政治的に利用しようとする態度にうんざりすると言うのです。たしかにこれは、少数派を権力闘争に巻き込もうとする意図が丸見えです。

彼らは身分を明らかにしているだけ、まだいいほうかもしれません。少し検索してみればわかることですが、ＬＧＢＴ運動の周辺には、共産主義者や反日主義者と思われる人たちが、その主張を隠してかかわっている例がよく見られます。彼らはマイノリティへの理解を媒介として自分たちの主張を浸透させようとしているのではないでしょうか。

同じような現象は、なんらかの事件や災害が起こるたびに見られます。台風が来襲して洪水や停電が起これば安倍政権を批判し、ヘイトスピーチが起これば安倍政権を批判し、アメリカのドナルド・トランプ大統領が何か言えば安倍政権を批判し、香港でデモが起きても安倍政権を批判します。つまり、結論はつねに「安倍政権が悪い」「アベを引きずり下ろせ」であって、そのためのチャンネルに使えそうな出来事があれば、なんでもとりあえず食いついていてかかわっていくわけです。

いまどき、日本共産党という身分を明らかにして共産主義を宣伝しながら支持者を募っても成果は上がらないでしょう。機関紙の「しんぶん赤旗（あかはた）」の部数もついに100万部を割り込んでいるそうです。そこで、もっと一般的な話題や自分自身に関係あるテーマでいったん人間関係、信頼関係を築いておき、そこからだんだん誘導したほうが打率は高くなります。

日本人に必要なスパイやプロパガンダを疑う「民間防衛」の精神

もうひとつ考えておくべきは、外国勢力のリスクです。外国勢力は、いきなり攻めてくることはまれで、まず攻めやすい環境をつくるために、スパイや協力者によってプロパガンダを行うことがあります。したがって、国を防衛するためには平時から外国勢力の浸透やプロパガンダに対して注意を払っておく必要があります。

これは民間防衛における大切なテーマですが、日本における民間防衛にあたる「国民保護」には、プロパガンダに対する要素は残念ながら含まれていません。

これはとてもよくないことだと思います。ＰＲＣをはじめとする外国勢力が何をしているのか、何をしてくる可能性があるのか、あらかじめ知っておくことはきわめて大切だからです。そんな外国勢力などいないというのは、あからさまな性善説の弱点です。すでに多数の外国人が日本の社会に入っています。そのほとんどは誠実で、日本が好きでやってきた人たちですが、彼らにまぎれているスパイは必ず存在していると考えるべきです。彼らが日本の貴重な情報や財産をかすめ取ろうとするリスク、さらに政治的、軍事的な意図で巧みに対象に近づき、うまく丸め込んで情報を得ようとしている危険性はつねに存在しているわけです。スパイ映画の出来事ではありません、本来、一般国民であろうと、こうしたことは常識として知っておくべきなのです。

そこで、参考になるのが、スイスの民間防衛における対スパイ、工作員に関する記述です。永世中立国のスイスは、国民の安全保障に対する意識が高く、民間防衛教育も徹底しています。

スイス政府が冷戦時代に家庭に配布していた『民間防衛』という本があることをご存じの方も多いでしょう。これは日本語訳版（原書房）も発売されていますので、ぜひそこにどのようなことが書かれているのか、一度ごらんになってほしいと思います。

私も何度かこれまでの著書で紹介してきましたが、大切なことなので繰り返しておきましょう。『民間防衛』には、情報戦争をシミュレーションした「戦争のもう一つの様相」という項目があります。これがまさに性善説に染まっている日本人への警告にもなりますし、もちろん実用的な知識としても参考になります。

『日本版　民間防衛』（青林堂）による同書の解説によれば、敵による「武力を使わない情報戦争」は、次のような段階を踏んでいくといいます。


【第1段階】工作員を政府の中枢に送り込む。

【第2段階】宣伝工作。メディアの掌握、大衆の意識を操作。

【第3段階】教育の掌握、「国家意識」の破壊。

【第4段階】抵抗意識を破壊し、「平和」や「人類愛」をプロパガンダとして利用。

【第5段階】マスコミなどの宣伝メディアを利用して、自分で考える力を奪っていく。
【最終段階】ターゲットとする国の国民が無抵抗で腑抜けになった時点で、大量の移民を送り込む。

もしかしたら、もう第4段階、あるいは第5段階くらいまで来ているかもしれません。外国は最初から「最終段階」を目的としながら、その真意を隠して次第に浸透してきます。もし気になる出来事があったら、背後にスパイやスパイに操られた人、彼らによって展開されているプロパガンダの可能性を疑ってほしいのです。

そもそも、国民にいきなりスパイを防ぐよう教育する以前に、しっかりしたスパイ防止法制が整備されていない日本は、正直に言えば「スパイ天国」です。工作員がいくらでも入れますし、現実に入っていると思います。

よく考えてほしいのですが、この国には日本共産党員が全国民の約1％いるわけです。彼らはすべて民間セクターに属しているのでしょうか。おそらく官僚のなかにも、同じぐらいの割合、あるいはそれ以上に日本共産党員がいると考えるべきではないでしょうか。教育界、マスコミ、法曹界、芸術家、タレント……みんな同じことです。

重要なポジションに、現在の日本の状況をよしとせず、むしろ壊してしまいたいと考えている人がいることを忘れてはならないと思います。性善説は彼らの活動を容易にしています。そして、本物のスパイは決してスパイ映画のようなわかりやすい行動を取ったりはしません。

アメリカの例も紹介しておきましょう。アメリカがある程度、プロパガンダに対抗できるのは、日本のような性善説ではないことだけではありません。教育の場で、プロパガンダについて教えているからでもあります。

私の場合は、高校1年生の国語の授業の一部だったと記憶しています。当時の脅威は言うまでもなくソビエト社会主義共和国連邦（現・ロシア）です。まだ全面核戦争の恐怖が世界を覆っていた時代です。ソ連はあの手この手でプロパガンダを仕掛けてきますし、アメリカやほかの西側諸国もソ連や東側諸国にプロパガンダを仕掛けます。子どもには、幼いころから共産主義と戦うためにプロパガンダの恐ろしさとウソを見抜く方法を教えていたわけです。

誰を信用すべきか、何を疑うべきか。そういう基本を授業として学びました。この本の第5章に出てくる各プロパガンダのテクニック解説が、まさにそれです。

香港問題に見るプロパガンダの本当の恐ろしさ

2019年は香港で起こった出来事が世界にいろいろなことを「見える化」しました。私やほかの識者たちは何年も前からPRCの恐ろしい中長期的な戦略を説いてきたわけですが、まさか、そんな怖い存在ではないでしょうと考えていた人たちでさえ、香港デモに襲いかかる警察、明らかな白色テロ（体制側が反体制側に対して行う暴力的な直接行動）に驚きました。しかし、PRCが世界中のマスコミが入っているなかで天安門事件のような大虐殺ができない限界をさらしたこと、そして脅しにも恐れず抵抗し、選挙で結果を見せつけた香港市民に何かを感じないわけはありません。

ひと言で言えば、PRCはその失敗、エラーを世界にばらしてしまいました。私たちは以前から、香港の危機の前にはウイグルやチベットの悲劇があり、香港の危機は台湾の未来図であり、台湾を「一国二制度」で飲み込んだあとは必ず沖縄に手を伸ばしてくると繰り返し警告してきましたが、幸いなことに、習近平国家主席自身がその意図をわかりやすく教えてくれました。トランプ大統領は香港の人権と民主主義の確立を支援する「香港人権法」に署名、成立しましたし、台湾の総統選挙も無事に蔡英文総統が再選されました。共和党のトランプ政権はファーウェイをはじめとするPRCの影響下の企業を追放しただけなく、「孔子学院」も禁止しました。もし、民主党のヒラリー・クリントン氏が大統領だったら、いまごろ香港は血に染まっていた可能性もあったと思います。

しかし、安心してはいられません。PRCはこれまで、全世界に対してプロパガンダ作戦を行っています。アメリカにおいては抗日連合会（世界抗日戦争史実維護連合会）という組織を使っています。私はこの組織にわざわざ電話して、「入りたいのですが、どうすればいいですか？」と聞いたことがあります。身分を聞かれて、ただのいちアメリカ人だと答えたら断られてしまいました。できれば潜入してみたかったのですが（笑）。

要するに、ここにはPRCが資金を提供しているわけです。アメリカで「慰安婦」像を建てようとする動きを支援しているのも彼らです。彼らは日米韓の関係を攪乱し、破壊するという長期目標を持っていますから、韓国人を焚きつけて米韓関係を揺るがし、韓国を日米から切り離そうとしているわけで、「慰安婦」はプロパガンダの材料です。最近のGSOMIA（軍事情報包括保護協定）をめぐる日韓の混乱は、PRC側の目論見はかなり成功しているようにも見えます。

考えてみれば、「慰安婦」問題や「徴用工」問題から、なぜGSOMIAへとつながるのか、じつはよくわかりません。歴史問題と現在の安全保障は本来、関係がないからです。そこを、世論を誘導してうまく結びつけてしまうのがPRCの恐ろしさでしょう。

第2章

プロパガンダの情報操作メカニズム

体は食べ物でつくられるが、人格は何でつくられるのか？

まず、みなさんに質問をします。私たち人間の体はいったい何でつくられているでしょうか。いろいろな考え方がありますが、ここで期待している答えは、ごくシンプルに「食べ物」です。あなたが食べたものが、あなた自身です。つまり、今日何をとるかで、あなたの未来が決まります。具体的に言うと、脂質と炭水化物（糖分）は、細胞内の「化石燃料工場」で燃やされ、エネルギーになります。タンパク質とミネラルは、体の組織を構成します。ビタミンとミネラルは、体内の化学反応の触媒になり、体の調子を整えます。そして、体を酸化から守るのはビタミン、ミネラル、酵素の3つです。だからこそ、バランスが取れた食生活が大事で、健康志向の方は、相当食べ物にこだわります。

それでは、「人格」の場合はどうでしょうか。何でつくられていると考えられるでしょうか。ここでいう人格という言葉に私が英語訳をつけるなら、パーソナリティ（人間性）という単語になります。

つまり、体に対する人格とは、各個人の心理面の特性であり、人柄を指します。性格と言い換えてもいいのですが、私はそれより広く、知能や知性までを含んだ概念だと考えています。日本語で言えば、「人格形成」とか「二重人格」などという言葉に含まれるニュアンスです。

話を戻しましょう。体は食べ物でできているのに対し、人格は何でつくられているのか。これは、「天性」と「情報」の組み合わせだと思うのです。つまり、生まれた段階から物心がつくまでに得られたものと、そのあとに受けた情報の両方が、人格をかたちづくり、変化させ、維持しているというわけです。

人にはそれぞれ、生まれ持った能力があります。私は音楽が好きなのですが（才能があるかどうかは別として）、かつて母親から聞かされたところによると、生まれる前からおなかのなかで音楽によく反応する子どもだったそうです。生まれたあとも音楽が好きで、5歳のときから叔母のピアノを耳コピして弾き、7歳で父親にピアノを買ってもらって、中学校に上がった時点では、代表的なクラシック音楽を暗譜していたので、モダーン音楽に挑戦しました。母親の話によれば、「練習しなさい」と言ったことがないそうです。プロのピアニストになるのかとよく言われたけれども、未来像が湧きませんでした。歌が好きで、趣味で男声合唱団に入っていて、ときには舞台の上にも立ちます。お世辞にも上手とは言えませんが、少なくとも音痴ではないと思います。それを幼いころから自覚しているからこそ、大人になっても音楽を続けているとも言えるでしょう。

こんな例もあります。以前、英会話学校を経営していました。しばらくすると、日本人の英語発音の問題点が全部わかりました。そこで、定期的に発音矯正講座をみずから教えました。生徒の誰もが必死になって学んでくれるわけではありませんが、私が伝えるノウハウを一所懸命に学ぶ生徒の大半は、相当程度、実用的で正しい英語発音を身につけることができます。

しかし、どうしても一定程度、熱心で真面目に取り組んでいるにもかかわらず、残念ながら英語発音をものにできない人が存在するのです。私の経験では、全体の5％くらいでしょうか？　ごく一部の生まれつきの言語才能の持ち主を除いて、自然に発音を覚えられるのは基本的に3歳までです。そのあと覚えるなら、数学と同じように学ばなければならないのです。正しい教育を受ければ、決して得意ではなく、好きでもないのに勉強している人は受験に合格する程度は覚えることができるはずです。しかし、残念ながら「英語音痴」（あるいは言語学音痴）というタイプは存在するのです。彼らはおそらく、生まれた段階でそうだったのでしょう。

このように、人格は天性によって与えられた才能と、その条件のもとで選択された、あるいは吸収した情報からつくられていくわけです。

ということは、音楽の才能があっても出合う環境がなければそれに気づかないでしょうし、言語が得意という資質を持って生まれても、英語などに関心もなく、英語を使う機会でもなければ、もしかしたら死ぬまで自覚を持たないままかもしれません。人格は環境に左右されるわけです。

ここで思い出していただきたいのは、第1章で述べた、教育機関とプロパガンダの関係です。

子どもはどんどん情報を吸収しますが、その供給源は、最初は親やきょうだい、それから友人と広がり、やがて教育、つまり先生が多くの部分を占めていきます。あるとき（だいたい中学2年生）から、親や先生より仲間の影響が非常に強くなります。そこで、一方的な内容の教育をされたら、彼らは後天的にどうなってしまうでしょうか？ 考えるまでもありません。

あるカリフォルニアの小学校の話を聞きました。そこでは、親の同意を得て、小学生が前に出て、

「Who do we hate?（私たちが憎んでいるのは誰？）」
「Donald Trump!（ドナルド・トランプ！）」

こんな台詞（せりふ）を繰り返し言わされているというのです。

この小学生たちには、根拠も示されず、トランプ大統領は悪人だという情報にさらされ、声に出して体に刻み込みます。なぜ、そうなのかについては深く考えず、批判もできないようになってしまいます。やがて彼らは政治不信へと陥っていくでしょう。これは、たんに民主党支持者を増やそうとしている点が問題なのではありません。もっと大きな意味で、国民が選挙で選んだ国家元首である大統領を尊敬しなくてもいい、より一般化すれば、他者に対して時と場合によっては敬意を持たなくても構わないという教育につながっていることがいけないのです。

子どもは、まだみずから考える力が足りず、周囲にいる信頼できる人から得た情報を丸ごと信じてしまいます。だからこそ、私たちは子どもに与えられている情報に厳重に注意しなければなりません。

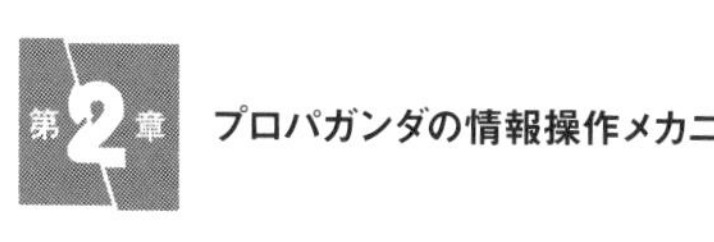

また、子どもをプロパガンダの道具に使うことはたやすいし、同時にみだりにしてはいけないことです。

くわしくはあとで述べますが、2019年、国連の気候行動サミットで地球温暖化に警鐘を鳴らしたスウェーデン人の少女、グレタ・トゥンベリさんの出来事を私が受け入れられないのは、こうしたためです。私たちは、「ヨットでニューヨークにやってきた純粋な少女が世界に向かって大切なメッセージを発している」という表向きのストーリーの裏に、彼女が自分が信頼している大人たちから、偏った、あるいは誤った情報が与えられ、その結果、人格がつくられ、プロパガンダに利用されている可能性があることを、注意深く検討しなければならないのです。

人格は自分の意思でつくられているとはかぎらない

こうして見ると、いかにも私や読者のあなたは、しっかり自分で情報を選択し、みずからの意思で人格をつくれているようにも思えます。ですが、その点も一度は疑ってみたほうがいいと思うのです。

自分自身の人格がほかの人とどのような違いがあるかについて、客観的に考えたことはありますか。そんなことはしないという人も少なくないでしょう。世界に何億人住んでいようと、自分の人格は自分にとってごく当然の存在であって、あらためてわざわざ考える必要はないとも言えるからです。

でも、私は考えるほうです。いま、自分が考えたことが、品の良し悪しから見てどうなのか、いまからしようとしている行動を、人格者なら果たしてするかどうか。そんなことを、まるで他人になったような気分で考えるのです。小学校4年生のときの先生の影響でこうなりました。その先生は、やっていることがWorthwhile（時間と労力をかけるだけの値打ちがある）かどうかをつねに考えなさいと何度も繰り返し教えてくれました。私はその言葉を真に受けて、ひとつの教訓として生きてきたつもりです。

また、私の法科大学院の先生で、のちに最高裁判事にもなった本当に尊敬している人は、かぎられている貴重な時間の使い方について、鋭いことを教えてくれました。いまや行動の選択肢にあふれている豊かな社会になったのだから、私たちは悪いことをしていないだけではダメだ。良い（価値ある）ことをするだけでもダメで、もっと良いことをすることでもダメで、つねに最も価値あることをすべきだと言っていました。

次の思考は、プロパガンダを学ぶ際にかぎらず、みずからを分析し、今後に役立てるヒントになります。いくつか要素を紹介しましょう。7つの対立する項目において、あなたは自分自身の人格がどちら寄りだと考えるでしょうか？　私自身もあらためて考えたいと思います。

①本能寄り―理性寄り
②感情に任せる―じっくり考える
③飽きっぽい―根気強い
④キレやすい―寛容、寛大
⑤破壊的―建設的
⑥独立型―依存型
⑦革新的―保守的

①本能寄り―理性寄り

人間のDNAに刻み込まれている基本的な本能として「Fight or Flight」があります。

危険に直面したときに、「戦うか、逃げるか」というこの自己防衛の本能は何世紀にもわたって人間を守ってくれました。恋愛感情も、感情というより本能だと思います。性的な欲望を抱く人は、人それぞれであった、これも人間が繁殖して生存した大事な本能です。

一方、もうひとつ、人間の特性は理性です。現代社会では、理性に従うことが大事です。逆に理性を欠くことや理性を失うことが危険なので、理性も人間を守ってきました。

ここで考えたいのは「勘」です。ときには理性よりむしろ勘で行動します。人によって勘が鋭い、鈍いとありますが、第六感と言われる不思議なものです。

②感情に任せる―じっくり考える

私は自分を理性的でじっくり考えるタイプの人間だと考えていますが、同時に周囲からは理屈っぽいと言われます。たしかにそのとおりかもしれません。

本能寄りの人間、と言われると、私は、三島由紀夫（みしまゆきお）の小説『春の雪』（新潮（しんちょう）文庫）の主人公、松枝清顕（まつがえきよあき）を思い出します。私が大学生のときに読んだと記憶しているのですが、彼は本能寄りというより理性がない人間と言えるでしょう。100%自分の感情で生きている姿を小説のなかに見て、そういう人間も存在しうるのだとショックを受けました。同時に、私自身の人生が、宗教やそれを背景としたアメリカの社会、私の家族の期待などを受けてつくられ、ある意味では「制限」されてきたものなのだと気づかされた瞬間でもありました。

③飽きっぽい──根気強い

飽きっぽいか根気強いかであれば、私は三日坊主であることも多い半面、いったん本腰を入れるとかなり集中してできるタイプです。一般に日本では根気強いことが美徳とされますが、部活動やボランティア活動などで、いわゆる「根性」が強調されやすいのは、子どもたちがみずから考える力を育てにくい環境を生み出しているリスクがあります。自分の意思に合わないことでも自覚なしに一所懸命になってしまい、プロパガンダにも引っかかってしまうからです。

私は、19歳で大学を休学して、宣教師として初めて日本に来ました。仕事は、布教活動、つまり話を聞いてくれる人を探し、人生の目的、幸せになる方法、教会の教えなどを人に話をすることでした。朝早く起きて勉強してから、天候がどうであれ、午前中から夜まで外で活動をしていました。しかも、外国語で自分の大切な思いを伝えなければなりません。

決して、容易ではありませんでした。しかし、ハードだからこそ、2年間の任務を終えたときには、無邪気な大学生だった自分が大きく成長して「大人」になっていました。2年間やっていたのは、布教活動より修行といったほうがいいかもしれません。

東京地方で活動している若い宣教師を管理するのは東京伝道部会長です。あるとき彼は、子どもを持つ両親のための集会で、「自分の子どもを成功する宣教師にするために、どんな育て方をしたらいいのか」という質問に答えました。彼いわく、成功する人は、音楽かスポーツ、具体的な目標に向かってみんなで一所懸命、力を合わせて頑張った子だそうです。逆に、子どものころからテレビゲームばかりやっていた人は、宣教師という体力的にも精神的にも厳しい仕事に耐えられず、くじけてしまうと言いました。

④キレやすい――寛容、寛大

私は、ストレスがたまってしまうと怒りっぽくなりやすいのですが、普段はだいたい寛容なほうだと思います。これは経験によるところがあるのです。

日本でテレビに出始めたある日、妻と幼い息子2人で街を歩いていると、2人の若い女性が私を発見して、サインを求めに駆けつけてきました。サインし始めると人が集まり、収拾がつかなくなるかもしれないと心配して、心を鬼にして「ごめんなさい。いま、プライベートなんで」と断りました。そして、それまでさわやかな笑い顔をしていた2人はがっかりした表情に変わって去っていきました。そうしたら、妻に叱(しか)られました。「サインしてあげたら、彼女たちの一日がハッピーになり、一生の思い出になったかもしれないよ。サインすべきだったと思う」と。

そこで、重要なことに気づきました。自分は、サインや握手という簡単なことをしたりすることによって、人に幸せを与えることができる、そんな力を持っているということでした。

この経験をもとに、私はストレスで人に対して怒りそうになったら、意識的にその人を笑い顔にすることにします。たいてい、ひと言を言うだけで十分です。そして、不思議なことに自分のストレスも吹っ飛んでしまいます。そのようにして相手の感情を明るくすることがおもしろくなって、そこらじゅうの人たちにひと言話しています。おかげさまで、行きつけの店の店員ととても親しくなっていて、すばらしいサービスを受けています。

逆に、自分のストレスのために人に怒ると、その人の一日を台なしにできる力も持っていることも自覚しています。たまにこの教訓を忘れて人に当たるときは、すぐに反省して謝ります。「あなたが悪いのではなくて、私はストレスがたまっていただけ。すみません」。また、相手がすぐに私を許してくれるのは日本人のすばらしいところです。

⑤破壊的―建設的

ここで言う破壊的―建設的とは、主に物理的な話ではなく、精神的なことです。

最近、児童虐待は大きく報道されています。人体的虐待はもちろん大問題ですが、それより恐ろしいのは精神的虐待と性的虐待です。この2つの虐待は被害者の自尊心を奪って、人格を破壊するからです。この言い方が適切ではないかもしれませんが、若い人なら骨折はたいてい比較的早く治癒するのに対して、精神の傷は、そう簡単には修復できません。とくに幼いときに虐待を受けていた子どもは、一生を通して苦労することが多くなります。しかも、被害者が大人になって同じパターンを繰り返し、つまり加害者になることが多くなります。

DV（ドメスティック・バイオレンス）も自尊心を奪います。ときには被害者が加害者に依存する変な精神状態さえ起きます。アメリカでは、ひどいDVを受けていた被害者が加害者を殺す場合、無罪になる判例がたくさんあります。いじめも同じです。

それ以外に、人権侵害、セクハラ、パワハラ、陰口など、きりがありません。もっと簡単に考えれば、ミーティングで話が長い人、約束を守らない人、空気が読めない人、基本的に「和」を壊す人が破壊的です。

一方、建設的な人は通常、率先して改善を求めるプロアクティブな人です。

⑥独立型―依存型

私は断然、独立型です。誰かに依存したり、支援を求めたりはしないタイプです。私の妻もひとり娘で独立型ですから、長年の夫婦でありながら、お互いにまったく依存していません（笑）。

独立型は、私の考えでは自尊心があるかないかに大きく左右されます。日本の自虐教育、悲観的教育は自尊心を壊し、自分の国に誇りを持ってはいけないと教えます。いまの国もダメ、先祖もダメ、歴史もダメなら、それを継承している自分自身もダメだと思うのは当然の流れです。自分の子どもを独立型の人間に育てたいなら、ほめること、大人扱いにすることが非常に大事です。言い方を変えれば、こうしたいい教育行為もプロパガンダの一種ですよ。

私や妻がアメリカ人だから独立型なのだろうとか、アメリカではみんなが独立していると考える方もいらっしゃるでしょうが、これは案外、そうでもありません。なぜなら、アメリカのリベラル勢力は、依存型の層をつくることを支持層拡大の有力な手段としているからです。

「あなた方は弱者だ、守られるべきだ。そして、守らない人間、責任を果たさない政府（または政党）や社会のほうが悪なのだ」という論法で、弱者風のセクターに近づいていって誘惑します。被害者の集団だという意識を植えつけ、共和党を批判し、公的支援に依存させるように仕向けます。対象はさまざまです。失業者でも、ホームレスでも、性的マイノリティでも、黒人でも、ヒスパニックでも、ネイティブ・アメリカンでも、女性でも、違法移民者でも構いません。みずからを「弱者」と認識しやすい集団であればなんでもよく、彼らをうまく組織し、依存させ続ければ、丸ごと支持層になってくれて効率がいいわけです。

少し本筋から外れますが、大事な点なので指摘しておきましょう。たとえば、「弱者であり、公的支援に依存すべき」黒人のなかからは、みずからの能力と努力で成功した人も出てきます。黒人のうち3％は上流階級で、中流上層階級は12％です。ところが、依存から抜け出した彼らに対して、「弱者」風を装う黒人団体や活動家たちは、「あんなの本当の黒人じゃない」と批判するのです。白人がつくった社会のしくみに迎合し、組み込まれて汚いお金儲け(もう)けに溺れ、黒人社会を裏切った連中であるとレッテルを貼ります。要するに、「頑張ることは弱者に対する裏切りだ」という、じつにひどい話なのです。いわゆる「弱者」の集団では、こうしたパターンが繰り返されていることを知っておいたほうがいいでしょう。

⑦革新的――保守的

私はどちらかと言えば政治的には保守的ですが、自分では本来の意味で革新的でもあると思っています。現状を、それが現状であるという理由だけで肯定はしません。あまり流行に左右されたりもしませんが、新しいことをトライしてみることにためらいません。やってみてダメならもとに戻せばいいだけです。

ところで、最近のアメリカの政治を見ると、現在の革新派は社会主義を推進しています。しかも、じつを言うとその活動は世間知らずの若者のあいだで案外、受け入れられています。彼らはもうソ連の脅威を知らない世代です。

一方で日本の例を考えると、文字どおりの意味で「保守派」であれば、70年以上維持されている憲法を現状のまま保つことも正当化されてしまいます。現状に合わせて憲法を改正することは、ある意味、「革新的」でもあります。双方の方向性は正反対ですが、現状を問題視し、トラブルをチャンスとしてとらえ、変化を探っていくのが革新ということなら、私は自分が革新的だと考えます。

「天性」は与えられるものだが、「情報」は自分の意識次第

みなさんもいろいろご自身のことを分析してみると、案外、普段考えているより、自分の人格が普遍的、標準的というわけではないことに気づけたのではないでしょうか。この分析はそれが目的です。

つまり、私たちが当たり前だと思っている人格は、結局、与えられた環境＝「天性」と、みずから得てきた「情報」からつくられ、それらによって影響を受けているわけです。いつの時代に、どんな親のもとに生まれたのか、親が寛容なのか厳しいのか、豊かなのか貧しいのか、育った地域、学校の先生の教育。挙げればきりがありませんが、こうしたもの

は自分で選べません。しかし、大人になったあとで、みずから意識し、相対化して考えることはあまり多くありません。

アメリカでは、黒人の子どもが誕生する段階では、ほぼ77％がシングルマザーを母親としています。ちなみに、非移民の平均は42％で、白人は30％です。現在子どもである黒人全体でも、約半数がシングルマザーのもとで育っています。人種と性別で見ると最も貧困の危機に直面しているのは黒人女性です。そこに生まれた男の子の生活を想像してみましょう。

母親はおそらく忙しく、あまり男の子には構えません。あるいは、反対に、公的な手当や支援のみをあてにして働かないでいる場合もあります。子どもは幼い時期から教育へのアクセスが難しく、学校にもやがてついていけなくなります。そして、父親が不在だと、どんな男性になればいいのかという具体像も描きにくくなります。

その結果、どうしてもギャングに入りやすくなります。彼らはもともと犯罪や暴力が好きだったわけではなくても、自分が入れるコミュニティーがそこしかなく、また似たような境遇の仲間がたくさんいるため、彼らと同じことをしたい、彼らに認められたいという意識になりやすいからです。

子どもは放っておいても育つと言いますが、それは前提として「放っておいても育つ程度の豊かな環境」があってこその話です。結局は子どもの、自分自身を中心とした半径せいぜい数メートルの世界で何が起こるかによって、人生そのものが大きく左右され、みずから当然だと思っている自分の人格ができあがっていくわけです。このように自分の人格は必ずしも自分でコントロールしているわけではなく、触れ合う情報によって、無意識のまま決まり、また変わっていくのです。

プロパガンダを仕掛ける側は、この点をじつによくわかっています。先ほど述べた自称「弱者」の集団にいつのまにか入り込み、意識づけをしてプロデュースするのも、あるいは日本で言われる「情報弱者」にたいしたこともないものを割高な値段で売りつけるのも、ターゲットを見据えたうえで、うまく目標の「半径数メートル」の世界に忍び込んでいるわけです。

情報源のなかに存在する「悪魔」の意図

ある程度成長してくれば、情報やその受け取り方は、やり方次第で自分でもコントロー

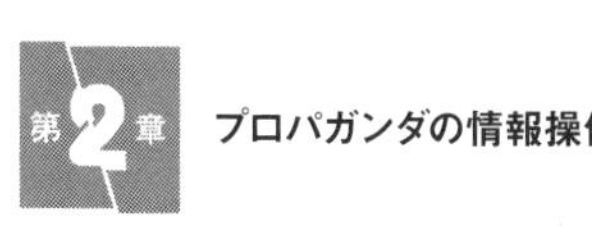

ルすることもでき、また仮にプロパガンダ的な情報に接していても、簡単に惑わされないテクニックを身につけることもできます。

この点を徹底的に鍛えているのは、プロスポーツの選手や、みずからの判断でリスクを取っている経営者です。彼らはいわば「自己洗脳」を行っています。

私たちも「自己暗示」はできます。たとえば、夜寝る前に「明日は何時に起きる」と決めれば、たいがいその時間に起きられます。これと同じ流れで、自分自身に対する刺激をつくることもできるわけです。「自分はできる」とイメージしたり、具体的に勝利した、成功した姿を想像したりして、その重要性をメンタルの強さに変えていくわけです。

しかし、残念ながらほとんどの人は、難しくてできないというより、そもそもそうした問題意識がありません。プロパガンダはその隙間をついてくるのです。

何か気になることがあったり、悩みがあったりした場合、最近では信頼できる人の意見を求めるより、まずはインターネットやSNSで検索してみることが多いでしょう。匿名で悩みに答えてくれるようなサイトもあります。

悩んでいるということは、なんらかの解決策や変化を求めているという状態です。いい方法だと思ったら積極的に試してみる可能性があります。そこで、プロパガンダを仕掛ける側は、都合のいい情報を供給するため、キーワードに従ってあれこれ情報を仕込んでいるリスクがあります。あとでもくわしく述べますが、たとえばダイバーシティに関心があったり悩んだりしている人が情報を求めるとき、「ダイバーシティへの関心→社会的問題として認識させる→現政権はこれを放置していると思い込ませる→反政権デモに参加させる」といった流れに誘導していくことは、それほど難しくありません。

要するに、プロパガンダを仕掛ける側はもともと「悪魔」的であって、ダイバーシティで悩んでいる人の問題を解決することをそもそも目的になどしておらず、いかにダイバーシティというキーワードの周囲に集まってくる人を手先として組織化するかしか考えていないわけです。

私が育った時代には、巨大なプロパガンダの主体としてソ連を中心とする共産主義国、共産主義者がいました。いまでも忘れられませんが、先ほども紹介したように、高校1年生のとき、プロパガンダについて学校の授業で学びました。どういうフレーズがどんなプロパガンダになっているのか、その理由や背景はなんなのか、プロパガンダの倫理的な問題とは何か、などを教えてくれるわけです。

むしろ、いまのアメリカのほうがプロパガンダに無防備かもしれません。マスコミと民主党はトランプ大統領がロシアと結託し、選挙に悪い影響を与えたと2年近くにわたって宣伝し続けました。これは結局、特別検察官によって「証拠不十分」とされたわけですが、ことの真偽より、誤っているかもしれない情報を長期にわたって浴び続けた人々のうち、4割近くが結局、それをいまも信じてしまっているのです。では、マスコミはみずからの誤報ぶりを検証し、反省したのかと言うと、むしろ論点をずらしてトランプ大統領を攻撃し続けています。彼らにとっては「反トランプ」だけが目的で、そのためなら不倫問題でもウクライナ疑惑でも材料として使ってきます。もはやニュースを伝え、広く議論のテーマを提供して民主主義を支えるという使命より、政治的なプロパガンダに没頭してしまっています。そして、彼ら自身が世論を誘導できるという誤った自信を持っています。

ウソも100回繰り返せば、ある程度の層にはまるで真実であるかのように聞こえてしまうのです。これは、Ad nauseam（主張［とくに簡単なスローガン］を呆れるほど繰り返して言う、第5章、226ページ参照）とか、Managing the news（伝えたい情報を選んで、何度も繰り返して報道すること、同226ページ参照）といった、典型的なプロパガンダのテクニックなのです。

日本も同じです。安倍晋三総理は信用できない人間だと何度も何度も繰り返し報道して、情報弱者の国民に信じさせたりします。

プロパガンダに強い人、弱い人の特徴

先ほどの人格分析で「理性寄り」を選んだ方、あるいは私と同じように、周囲の人から「理屈っぽい」と言われるような方は、一般にプロパガンダに対して強いと言えるでしょう。聞いたことをそのまま信じず、とりあえず疑う、反対側の意見も検証してみる、一次資料や具体的な数値、データを調べてみる、などといった作業が苦にならないか、職業的にそうしたトレーニングを受けていると、そう簡単にはプロパガンダの餌食になったりはしません。前にも紹介したように、私は弁護士なので、人を信じないのが仕事であって、確認できる証拠を見せてもらって初めて信じる。したがって、加計学園疑惑のとき、元文部科学事務次官の前川喜平氏がねつ造したと言われる文書しか証拠が出てこなかったので、頼まれたときに安心して加計学園の客員教授に就任してしまいました。

しかし、一般の人はそうでもないのです。

とても個人的なことなのですが、最近、こんな出来事を体験しました。フェイスブック

を通じて、自分が不当に税務当局に逮捕されたという高校の同級生の投稿を見ました。また、同じ代の卒業生のフェイスブックのなかに、同級生が脱税で実刑となり、2年近く服役した刑務所から出てきたばかりだと、つまり同級生の主張は冤罪だ、でっちあげだ、と書いてありました。弁護士としては興味が湧きます。

そこで、公開されている同級生の裁判記録を読んでみました。すると、彼の主張は驚くべき内容でした。かいつまんで言えば、自分はアメリカの国家主権そのものを否定している、国民ではなく、国家権力は自分にはおよばず、当然に納税の義務もない、だから脱税などしていない、というものだったのです。

そんなバカな！　私だけではなく、みなさんもそう思うでしょう。およそ争点にならない荒唐無稽な主張だったのです。

しかし、さらに驚くべきことに、彼のフェイスブックを見た同級生のなかには、彼の「冤罪」という言い分を信じ、「税務当局の横暴だ」などと応援さえしている人も、少なからずいるのです。

これは極端な例かもしれませんが、データや事実にアクセスすることが苦手ないわゆる「情報弱者」であって、周囲の、実際に知っている人の話だけを信じてしまうと、こうした状況も生まれてしまうことを知っておいてください。情報弱者がSNSを愛用していると、知っている人だけでコミュニケーションが固められてしまい、そこに悪魔が入り込めば簡単に餌食になってしまうのです。

その情報は「腐った食材」ではないのか?

こうして考えていくと、後天的に与えられ、あるいはみずから選択して人格を形成している「情報」の本質を考えないわけにはいきません。

私は、情報の本質とは、私たちがものごとを考え、判断するための材料だと考えます。

ここで、「材料」という言葉を使った背景を少し考えていただきたいのです。

私たちはみずから選択的に情報を受け入れている（ような気になっている）立場であって、いわば情報という食事を食べる人であると同時に、情報を「調理」している料理人でもあります。どこの新聞や雑誌を読み、どのニュース番組を見るか、どんな趣味を持ち、そのための情報をどこから得るかは、自炊のためにキッチンに立って料理を自分で準備している状況に似ています。

しかし、そこでまな板の上に運ばれてくる情報は、料理にたとえれば「材料」です。私たちはよほどこだわっていないかぎり、みずから材料をつくることはありません。魚を海で釣ったり、野菜を畑で育てたりするほど時間があるわけではなく、それらはたいていスーパーマーケットで買うでしょう。あるいは、忙しければ調理の部分さえ誰かに済ませてもらい、自分ではコンビニや惣菜屋（そうざいや）さんで何を食べるかだけを選択し、温めて食べるだけで、材料選びにはまったく無頓着であることもめずらしくありません。いっさい自炊しない友人は、「コンビニ弁当研究家」だと自慢しています。

では、そこで不運にも「腐った食材」に出合ってしまったら、どうなるでしょうか？　気づいて食べることをやめられればいいのですが、そのまま飲み込んでしまえば、かなりの確率で食中毒を起こすでしょう。

情報も材料であり、腐っていないかどうかを心配すべきなのは、食材とまったく同じです。問題は、食材が腐っているかどうかは臭いや色である程度はわかりますし、極端な話、食べればはっきり認識できること。そもそも、腐った食材をわざわざ売っている店はないでしょう。これに対して、情報が腐っているかどうかは、臭いもなく、味もないために非常にわかりにくいのです。どうかすると、腐っている情報のほうがうまくショーアップされていたり、感動のエピソードになっていたり、弱者の味方のふりや強者に立ち向かうような描き方になっていたりして、かえって「おいしく」感じられる場合さえあるわけです。

2019年3月、ニュージーランドのクライストチャーチにあるモスクで銃を乱射し、51人もの人が殺害された残忍な事件がありました。この犯人は、なんとフェイスブックで犯行の様子を17分間も「生中継」していました。考えただけで恐ろしいですが、そこで供給されている情報は、さすがによほどの人でもないかぎり、「腐った材料」として識別できるでしょう。フェイスブックからは当然削除され、悪質な放送機関によって再投稿されたものもその後は厳しく規制されています。

しかし、トランプ大統領をロシア疑惑で責め立てていたマスコミ報道はどうでしょうか？　結果的にそれらはほとんど「腐った材料」ではなかったのでしょうか。

万が一、スーパーマーケットで腐った食材を買わされれば、店主に交換や返金を求めるでしょうし、もし応じなければ怒りも湧くでしょう。当然の話です。では、腐った情報を流したマスコミに対してはどうでしょうか？　よく調べもせず、ねじ曲げ、曲解し、結論ありきで流してきた情報の訂正や、今後の取材体制の見直し、政治的な中立性の徹底などについて、読者や視聴者は求めているのでしょうか？　腐った食材を食べさせられたときのように怒りを抱いているのでしょうか？

情報の本質は、いくらでも立派で魅力的なように見せかけるごまかしがきいてしまうところにあります。それによって人格が形成されているかもしれないのに。

ユーチューバーに潜む「無自覚」の恐ろしさ

もう少し身近な例で説明しておきましょう。あなたにはお気に入りのユーチューバーがいるでしょうか？　おもしろいエピソードをテンポよく話せたり、無謀な挑戦をしてみたり、ファッションや食べ物、勉強の知識を教えてくれたり、ゲームのテクニックを解説してくれたりする人がたくさんいます。もはや「素人」とは呼べない配信者は少なくなく、数十万から数百万のファンを集めています。テレビの視聴時間が奪われているというのも納得できる話です。

では、おもしろいキャラクターで無謀な挑戦ばかり投稿しているあなたが好きなユーチューバーが、急に健康食品のことを語り始めたらどう受け取るでしょうか。毎日、友だちのように顔を合わせているユーチューバーから、「これを飲み始めたら体が楽になった」と言われたら？　あるいは、このクリームを使うとしわが取れる、と言い始めたら？　もしかしたら、その健康食品や化粧品の会社からお金をもらって宣伝しているのかもしれませんが、大物のユーチューバーともなれば、通常の広告収入だけで十分な額になっているため、わざわざ自分が表に立ってPRをする必要はない場合がほとんどです。

それがむしろ、熱心なファンのあいだでは強い「信憑性」を生むことになります。「○○さんが『本当にいい』と思っているからこそ、わざわざすすめてくれているのだ」ととらえます。

健康食品ならまだいいでしょう。今度は突然、政治を語り始めたらどうでしょうか？「安倍政権はおかしい」とか、「トランプは世界を悪くしている」「共産党はすばらしい」などと言い始めたら、さすがに何割かの人は怪しいと思うでしょうが、熱心なファンでユーチューバーに個人的な感情を持っていれば、あるいは受け入れてしまうかもしれないし、自分の考えと異なるのであれば、むしろ自分に見落としがあるのではないかと、あらためて考えてみるきっかけになるかもしれません。

しかし、これはよく考えると、きわめておかしいことです。おもしろい動画をつくれる才能と、健康食品の良し悪しを見きわめる能力はかなり違うはずです。政治や政策を語ることは、もっと違うはずです。しかし、なんらかのきっかけで「信じている」状態にあると、あっさり飲み込んでしまうこともあるわけです。

むしろ、お金をもらって健康商品を宣伝しているのならまだいいほうです。それはある意味、出演料をもらってCMに出演しているタレントと変わりません。恐ろしいのは、このユーチューバーも誰かのプロパガンダに引っかかり、本人も無自覚のまま、自分のフォロワーにプロパガンダを拡散してしまっている可能性があることです。

ユーチューバーも、自分のフォロワーは失いたくないでしょうし、最近は法令的にも、宣伝であればその点をはっきり示さないといけなくなっています。だからこそ、政治や世の中に対する考え方といった一見、宣伝とは関係のない話題、しかし本来、誰でも考えて参加すべき政治の話であれば、むしろかっこよく映ることとすらあるわけです。すると、それまで一度も政治のことなど考えたことがなかったフォロワーは、急にそのユーチューバーがかっこよく、輝いて見えるようになります。「この人、アホなことばかりやっているかと思っていたのに、真面目に世の中のことを心配し、勇気を出して政治の話を伝えてくれたんだ！」と感じてしまうわけです。こうなれば、やがてその動画で聞いたのと同じような話を、さも自分の考えのように誰かに話し始めるでしょう。

プロパガンダの元締めは、このユーチューバーに代表されるような、一般に影響力を持っている層をまず抱き込むことを考えるわけです。

よく考えれば、じつにおかしな話なのです。ユーチューバーとして好きなのは、おもしろい動画をつくれる、あるいは専門分野に関する知識のはずなのに、日常的に接触していると、いつのまにかそれが一般的な信用、信頼に変わってしまい、なんでも受け入れるようになってしまうわけです。

同じような構造は当然、テレビタレントでも、コメンテーターでも起こりえます。〇〇大学××学部教授、という肩書と、テレビでの穏やかで人のよさそうな語り口を信じてしまえば、その人が言うことをたいがいは丸呑（まるの）みにしてしまうわけです。無自覚でいることは、とても恐ろしい話なのです。

第3章

プロパガンダ機関に成り下がった日本メディア

私たちの人格を形成する「3つの情報源」

私たちはどこから情報を仕入れているのでしょうか。この章ではメディアがプロパガンダを媒介している危険性を述べていくのですが、それ以前に、私たちはメディアも含む、広い意味での環境から情報を得ていると言えます。

目の前にいる人と話をしていれば、その人の表情は確実になんらかの情報を伝えています。笑っていたり、怒っていたり、おもしろそうだったり、興味がなさそうだったりします。日本語には「以心伝心」という言葉がありますが、私たちは表情や態度、口ぶり、視線など、直接言語として口から発している情報以外にも、非言語的なコミュニケーションの手段を多く使っています。

これは世界でも同じで、政治家が演説のときにどう体を動かしてみせるか、どのように動かすと聴衆の心を魅了しやすいかは、よく研究の対象にされています。また、自信がない人、言いたいことが整理できていない人、あるいは偽りの情報を述べている人は、より体が意図しない動きをしやすくなる、などという研究もあります。

こうして私たちは環境から情報を得ているわけですが、これには成長とともに、要素が段階的に加わって、複雑になっていきます。幼いときから順を追って、次のように分けてみましょう。

①他人の言葉、表情、態度、ジェスチャーなどから直接的に＝親、きょうだい→親戚、友人、近所の人、先生、見知らぬ人
②文字と絵、写真から間接的に＝教科書、新聞、本、雑誌、絵画
③音声と映像から間接的に＝映画、ビデオ、ラジオ、テレビ、インターネット動画

生まれたばかりの赤ちゃんであれば、いくら②や③の情報を受けても処理できませんから、①の直接的な情報しか受容できません。しかも、最初は、親やきょうだいなど同じ家にいる人の場合がほとんどです。その後、成長とともに交友範囲と知識が広がり、情報源が増えていきます。やがて、②や③のメディア経由の割合が増していくのです。

余談ですが、①は人間の成育上、きわめて大切です。子どもが生まれたばかりのときには、刺激を与えないと脳内回路ができあがらないそうです。

複数の研究によれば、昔の児童養護施設で行われた事実上の育児放棄によって、そこにいた子どもたちには、顕著に発達の障害が見られたと言います。親であれば赤ちゃんに声をかけ、抱っこをし、さわったり遊んであげたりします。しかし、児童養護施設で事務的に、いわば機械的に育てられた子どもは、精神が遅滞し、内側に閉じこもったり、奇行が見られたりするのです。つまり、愛されていないと①の情報を与えられなくなり、いわゆる「愛着障害」になってしまうのです。これは、働く女性が増え、保育所の運営が大きな政策のテーマになっているいまの日本でも、本来、親が愛情を持って行うことで発達する部分をどうやって補うかという大切な論点になるかもしれません。

はじめは環境にいるのは親やきょうだいだけですが、だんだん範囲が広がり、親戚、友人、近所の人、あるいは見知らぬ人から情報を得るようになります。そして、そこに文字や絵の媒体が加わり始めます。絵本やマンガ、アニメなどから始まり、新聞、雑誌、本などから情報を受け取ります。なかでも大きいのが、学校で使用する教科書です。

また、③のような音声や映像から間接的に得られる情報もあります。テレビやラジオ、そしてインターネットなどから受け取ります。最近では、ゲームも加えるべきかもしれません。

インターネットやゲームから得られる情報には、どうしても暴力性がともなうリスクがあります。これらがどのように脳の発達に影響を与えているかは、いま、さかんに研究が行われていますが、年ごろの子どもを育てる親としては、決して見過ごせないポイントです。さらに、サブスクリプション（利用期間に応じて料金を支払う）サービスの発達で、動画配信サービスに代表されるような新しいメディアも登場しています。

こうした新しいメディアの出現と成長は、あとで述べるような既存のマスコミを使ったプロパガンダに対する有効な対抗手段になりますが、反対にそれ自身が既存マスコミ以上に質が悪かったり、有害だったり、そもそもプロパガンダだったりするケースも当然考えられます。メディアが増え、世代によってその受け取り方や比率に大きな変化が見られるいま、子どもの教育だけを考えても、かつての常識がそのまま通じない大変な時代を迎えているのです。

語源から見る「メディア」の役割

すでにこの本でも何度も出てきている言葉ですが、そもそもメディアとはなんなのでしょうか。

英語としてとらえてみると、media という単語は、medium（メディウム）の複数形です。では、medium がどのような意味かというと、日本語でうまく表現するのは難しいのですが、「何かと何かの中間にあるもの、あいだに取り入って媒介するもの」といったニュアンスでしょうか。じつは「霊媒師」という意味もあります。人間界と霊界のあいだを媒介するからなのでしょう。より身近なところでは、Mサイズという場合の「M」も同じ意味です。どうでもいい話ですが、私はアメリカに行くと、じつはMサイズだったりします。日本ではXLなのですが（笑）。

現代においてメディアというと、mass media、正確にはマスコミュニケーションにおけるメディアを指すことがほとんどです。つまり、不特定多数の大衆（マス）がコミュニケーションを行う際、「あいだに入って」取り持つからこそ、マスメディアと呼ばれるようになったわけです。

マスコミュニケーションとは、テレビ、ラジオ、インターネット、新聞、雑誌、書籍などを媒介物として用いることで、マス（大量）に情報を伝達することです。

対義語はパーソナルコミュニケーションです。人同士のコミュニケーションは、会う場合でも、電話でも、講演や集会でも、時間あるいは空間を直接共有していなければならないケースが多いのですが、マスコミュニケーションでは、間接的である代わりに時間や空間的な距離を空けて行われます。同時に、送り手と受け手の立場は固定され、一方的な伝達手段になるケースが多くなります。1対1の会話なら、互いに発信側にも受容側にもなりますが、マスコミュニケーションではテレビ局や新聞社が一方的に発信をするだけで、視聴者の話を聞くことはほとんどありません。

ただ、これも変化しつつあって、ニコニコ動画のような動画配信サービスの双方向性は非常におもしろいものです。私も「真相深入り！ 虎ノ門ニュース」（DHCテレビ）に出演していますので、ニコニコ動画やユーチューブ、さらにサイバーエージェントが運営している「FRESHライブ」というライブストリーミング媒体に定期的に出演していることになるわけですが、ご存じのとおりニコニコ動画は画面上に視聴者が書いたコメントが直接流れています。スタジオの私たちがそのコメントを見て発言することもありますし、番組にメールを送ってくださる人のコメントをディレクターが選び、私たちが答えるパターンもあります。こうなってくると、インターネット時代が進めば進むほどマスコミュニケーションにも双方向性が深まっているとも考えられますが、それでも大半の視聴者はそれまでと変わらず、ただ見ているだけの方がずっと多いことに留意する必要があるでしょう。伝統的に、マスコミュニケーションは一方通行なのです。

ここからは、メディア＝マスメディアに関して述べていきましょう。

メディア情報であなたの人生が一変することもある

メディアからどのような情報を受け取るかが重要なのは言うまでもありませんが、受け取るタイミングと内容によっては、受け取った人の人生を変えてしまうようなインパクトを与えることとさえあります。

そんな大げさな、と思うかもしれません。そこで、まずは少し微妙な質問をしてみましょう。みなさんは、これまでポルノを見たことで、自分の人格になんらかの影響があったと思うでしょうか？　これは少し答えにくい質問です（笑）。

では、暴力シーンが多い映画やドラマを見たことで、自分の私生活に悪い影響があったと思いますか？

私が講演などでこうした質問をすると、結構な確率で手が挙がることが多いのです。

かっこいいギャングを描いた映画、戦闘シーンが多い映像を見ると自分が強くなったような気になる、誰かを攻撃したくなる、暴力的なシーンや凄惨な表現に慣れてしまう、などの意見が聞かれました。そして、驚くべきことに、そう答えてくれた方の多くは、私に質問されて影響の恐ろしさを悟ったというより、それをごく当たり前の現象としてとらえていた、ということです。よく考えてみれば当然だ、あらためて考えてみたことはなかった、といった感覚なのです。

ちなみに、私の長男は感受性が高くて、幼かったとき、テレビに暴力的なシーンが映し出されると、目を隠して泣き出しました。

今度は、次のようなケースを考えてみましょう。

◎「鉄腕アトム」を見て科学者を志した人
◎「ブラック・ジャック」を読んで医者を志した人
◎「巨人の星」を見て野球選手を志した人
◎「キャプテン翼」を見てサッカー選手を志した人
◎「機動戦士ガンダム」を見てパイロットを志した人

このようなパターンの人は、みなさんの周囲にも少なからずいるのではないでしょうか。もしかしたら、みなさん自身も、なんらかの憧れの対象を、メディアを通して受け取り、進学先や就職先を考えたかもしれません。もしかしたら、昔、ケント・ギルバートを見て、弁護士になったりタレントになったりした人もいるかもしれませんね。じつはケント・デリカット氏は、私をテレビで見てタレントをやりたいと思い、「森田一義（もりたかずよし）アワー 笑っていいとも！」（フジテレビ系、1982～2014年）のオーディションを受けたと本人が言っています。

メディアから受け取っている情報は、その人の人生までを大きく左右することもあるのです。

メディアの「歪み」に戦略的に対応したトランプ大統領

いま、世界でいちばんメディアを嫌っている人間は、もしかしたらアメリカのトランプ大統領かもしれません。繰り返しフェイクニュースと総称しています。

アメリカにかぎらず、世界の一般的な民主主義国であれば、政府は、メディアに対して定期的に記者会見を行っています。それが「知る権利」に対する責任だと感じているからです。

日本の官房長官は、いやな質問やピント外れの批判まがいばかりしているメディアを相手に1日2回も会見をしています。大変サービスがいいわけです。

しかし、ホワイトハウスはそうではなくなりました。トランプ政権になって以降、とくに2018年の中ごろからはっきり回数が減り始め、いまでは記者会見をしたことそのものがニュースになります。2カ月以上もあいだが空くようなこともめずらしくありません。

これをメディア側から見れば「政権の怠慢」とか「メディアへの敵視」ということになるのでしょうが、トランプ大統領は、もはや既存のメディア各社、あるいは記者を、中立的な媒介者として信用していないのです。

何かを話せば「編集」という名のもとに意図的に改変され、自分たちが流したいように流してしまう。それが政権と有権者（マス）のあいだに入っている「メディア」なのだとしたら、もはや目的を果たしていません。

そこで、トランプ大統領は、ツイートのほかでは、原則としてホワイトハウスからヘリコプターに乗る前だけ、いくつかの質問に短く答えるようになりました。これなら全米に生中継されますし、編集しようがないからです。

トランプ大統領を批判することは可能でしょう。ただ、トランプ大統領になんらかの問題があったとしても、選挙で選ばれ、行政を担っている政権の発表をそのまま媒介しないメディアには大きな問題があります。むしろ積極的に政権の意図を歪めることがメディアの正義だと考えているふしすらありますが、これは大きな誤解です。正義かどうかを判断するのはメディアを受容しているマス＝有権者であって、本来、メディアはそこでの議論を豊かにするために働くべきなのです。

無思考、無批判、無防備を刺激したテレビの「ニュースショー」

日本も事情は似たようなものです。なかでも問題のもとは、民放が始めたバラエティー番組的なニュース、いわゆる「ニュースショー」の登場にあると思います。

ちょうど私が日本で本格的な活動を始めたころですから、当時の記憶や感覚ははっきり思い出せます。私が考えるに、日本のニュースショーの発端は、かつて日本テレビ系で放送していた「久米宏のTVスクランブル」という番組です。

あらためて調べてみたところ、1982年10月に放送を開始し、1985年3月に終了したこの番組は、ニュースショーの原型であるだけでなく、その後、「ニュースステーション」（テレビ朝日系、1985年10月放送開始）のキャスターになる久米氏の、ニュースキャスターとしてのデビューでもあったわけです。

私が当時、このニュースショーを見て抱いた違和感をひと言で言うなら、「なぜ、ニュースに、いちいち自分の解説や意見を入れるのか?」というものです。それも、かなり幼稚で偏った見方をしている危ないものを。

それまでの日本のニュース番組は非常にシンプルで、いまの感覚で言うならストレートニュースそのものでした。事実だけを、余計な解説を交えずに伝える、というスタイルだったわけです。ましてやニュースを伝えている人が自分の意見を述べるようなことはありませんでした。

「TVスクランブル」は、久米氏と伝説的な漫才師である故・横山やすしがメインとして登場し、ただ伝えていただけのニュースに「意見」や「感想」をつけ、わかりやすさという名のもとにショーアップするようになりました。このスタイルはヒットし、いい視聴率を得たのです。

テレビ番組もビジネスですから、視聴率をまったく無視してつくるわけにもいかないのでしょう。見方を変えれば、それまで視聴率という点では特別に期待していなかったニュース番組を「ニュースショー」にリニューアルすることで視聴率を稼げ、スポンサーに売りやすくなることに気づいたテレビ局は、競ってニュースショーを制作するようになりました。ここまでなら、私もまだ納得できる話です。なぜなら、ストレートニュースをやめて意見を言う人、感想を言う人を配置するにしても、放送法の「政治的公平」を満たすために、同じニュースに対してさまざまな立場の人を呼んでおけばいいからです。

しかし、現実はそうではありませんでした。

かつて私は「サンデーモーニング」（ＴＢＳテレビ系）という番組にパネリストとして出演していました。ここには私や北野大氏（化学者、当時明治大学教授、現名誉教授、ビートたけし氏の兄）、三屋裕子氏（元バレーボール全日本代表選手）などがレギュラーで出演し、ほかにも高市早苗氏（衆議院議員、現総務大臣、内閣府特命担当大臣）、ペマ・ギャルポ氏（チベット出身の政治学者）もいれば、瀬戸内寂聴氏（作家）も、辛淑玉氏（政治活動家）も出演していたわけです。当然、意見は合わなくなりますので侃々

諤々(がくがく)、議論をすることになったわけですが、あるころから、私たちのような中道的な主張をする面々の代わりに、左派的な傾向を持つ人ばかりが「意見」や「解説」を述べる番組へと変わってしまいました。私は私自身をきわめて中道的な性向だと考えていますし、またそうであるよう心がけています。しかし、左派から見れば中道は「右側」にいることになるのでしょう。

そして、ごく注意深い人を除き、視聴者は決してこうした放送局側の変化に気づいたりはしません。残念ながら、多くの日本人はメディアに対して無思考、無批判、無防備です。いい言い方で表現するなら、それだけ素直にメディアを信頼しているのでしょう。そのせいで、あるときから、ニュースを見ようとテレビをつけるたびに左派の「意見」や「解説」を同時に受容させられる環境ができあがってしまったのです。

放送法が電波メディアに「公平性」を求める根拠

私は、このような「ニュースショー」が登場してからすでに38年近い時間が流れた日本において、いま、あらためてこの問題をしっかりとらえる必要があると考えています。少なくとも現状のままでは、使い手が誰なのかはさておき、テレビ局はプロパガンダに使われ放題で、なかには局自体がプロパガンダ機関になってしまっています。

先ほど少し述べたとおり、メディアのなかでも、とくに放送は、偏向した意見、解説ばかりの「ニュースショー」を本来、放送してはならないのです。

なぜなら、きわめてシンプルに、放送法に反しているからです。

ここで、あらためて、放送法の条文を確認しておきましょう。

第四条　放送事業者は、国内放送及び内外放送（以下「国内放送等」という。）の放送番組の編集に当たつては、次の各号の定めるところによらなければならない。

一　公安及び善良な風俗を害しないこと。

二　政治的に公平であること。

三　報道は事実をまげないですること。

四　意見が対立している問題については、できるだけ多くの角度から論点を明らかにすること。（以下略）

新聞には、各紙にカラーがあり、オピニオンがあります。しかし、放送は新聞ではありません。電波は有限な公共の財産であり、やはり放送法に書かれているとおり、「公共の福祉に適合するように」（第1条）使わなければならないわけで、その条件のもとに免許が与えられています。新聞が社説で書いているような、あるイシューについて一方に肩入れした意見や解説を放送で流すこと自体、非常に問題があるわけです。そんなことをしているくらいなら、第4条の三や四に書かれているとおり、客観的に見て対立のポイントはどこにあるのか、それぞれの意見を支持する層が何％いるのか、などといった内容に徹するべきなのです。それができなければ、結局、プロパガンダと批判されてもしかたがありません。なんと言っても電波はかぎりある資源であって、既存の放送局に飽き足らないといっても、第三者が対抗するような放送局を次々つくることは事実上、難しいからです。

しかし、日本でも、この状況をようやく変えられそうになりました。インターネットの登場によって多様性の「救済」が現実化したからです。かつての私のように、放送メディアに乗らなくなってしまった意見、あるいは現在、放送メディアで流されている解説に疑問を抱く人たちの考えが反映されるメディアが生まれました。当初はある程度パソコンにくわしくなければいけませんでしたが、いまではスマートフォンやタブレットで、誰でも特別な知識なく見られるようになり、むしろ既存のテレビメディアを脅かす存在にもなりつつあります。

私が出演している「虎ノ門ニュース」で言えば、ユーチューブだけで視聴回数が50万を超えることもめずらしくありませんし、ほかのメディアの回数を加えればより多くなります。しかし、アメリカはおろか世界中で見られているであろうCNNを調べると案外、人口に比例して「虎ノ門ニュース」と視聴回数に大差がないことがわかります。日本語がわからなければ視聴が難しい番組としては、大健闘していると言えるわけです。

もっとも、「虎ノ門ニュース」がCNNと同レベルだと喜んでいるばかりでもいけません。この現象は、日本語を使って生活している人（おそらく、そのほとんどは日本人）が既存のマスメディアの偏向ぶりに対して不満を持ち、なんらかの情報に飢えているのだと考えるべきでしょう。

なぜ、日本メディアのニュースはネガティブ一色なのか？

誤解していただきたくないのですが、私はいま、テレビメディアであふれているような

リベラル（この言葉も、本来の意味を超えて大きく歪んでしまっていますが）側の意見を流すなと主張しているわけではありません。彼らに対する批判、彼らとは異なる見解の存在も同時に紹介、解説すべきだし、メディアとして公平にリソースを割くべきだと言いたいだけです。

その前提はしっかり説明しておいたうえで、私がいわゆるリベラル派の意見や解説に対してとても納得がいかない点を申し上げておきましょう。

彼らは、基本的にネガティブなのです。それも非常に強く。

こんな社会はダメだ、現政権はよくない、大統領や総理大臣はウソつきだ……この種のネガティブな意見ばかりが流されているし、流す側は自分たちが反権力的な存在であること自体を正義だと本気で信じているわけです。これは結局のところ、GHQがプレスコードをかけていたころのラジオ番組とたいして変わりません。ましてや、現行の放送法などまったく無視しているも同然です。

どうしてこのようなことになってしまうのか、背景を考える必要があると思います。まず、放送局内に反日勢力と共産主義者が入り込んでいる可能性を検討すべきでしょう。

そして、スパイを防止する法令も、実効性のある制度も乏しい日本では、メディアにスパイが入り込んでいる可能性は低くないでしょう。

かつて小学校から大学まで教職員が左派に偏向し、教育の現場を洗脳まがいの機関として使っていた日本で、まさかメディアだけが真面目に公平性を守ろうとしていたとは考えにくいものがあります。日教組の教師が立場を利用して何も知らない子どもたちに偏向した教育をするように、メディアにうまく入り込んだ社員や、自称ジャーナリストたちが、健全な世論の形成より、自分に近い意見を増幅し、仲間を増やすための機関としてメディアを利用していると考えるべきでしょう。彼らは故・岸信介元総理であろうと、故・中曽根康弘元総理でも、安倍総理でも、とにかく頭から否定するだけで、その政策の中身を検討し、議論しようとは考えません。

どのような政権であろうと、ダメなところと評価すべきところがあるでしょうし、ダメならどう改善すべきかを議論したほうが建設的です。しかし、メディアに入り込んだ左派勢力は政権批判そのものが目的なので、情報をとにかくかき集め、針小棒大に、最大限ネガティブに映るよう流すことに必死なのです。

令和元年となった2019年は大雨や台風の被害がいっそう深刻だった一年でした。相次ぐ台風によって千葉県で起きた被害に対する政府の対応が遅いのではないかという批判が高まるなかで、メディアが躍起になっていたのは「だから、安倍政権はダメなのだ」という結論を強調するものばかりでした。

たしかに、停電が長引いたことにおいて、東京電力の対応はまずいものがありました。ひどく楽観主義的で、復旧のスケジュールをうまく把握できていなかったからです。しかし、即、それを安倍政権の批判につなげるというのは飛躍のしすぎで、そんなことをしている暇があるなら、今後、同じような被害を起こさないためには、あるいは起こってしまった場合のダメージをコントロールするために考えておくべきことはないのかを議論するほうがよほど公共の福祉に貢献できます。

つまり、メディアは、彼らが敵対していると考えている政権に対して、ネガティブな情報、不利な意見や解説を流すことそのものが、メディアの役割だと考えているわけです。これは国民の「知る権利」を人質に取った背信行為そのもので、結局、活動家がメディアを乗っ取っていることと変わりません。

この点は、アメリカも決してほめられたものではありません。大きなマスコミでは幹部が民主党支持者で、もともと民主党政権時代の報道官であったり、要職を担っていた人だったりするのです。ごくわずかな例外がFOXニュースやワシントン・タイムズで、共和党はもともとメディアへの影響力が弱く、政治的な弱点にもなっているということでもあるわけです。

私は共和党支持者ですが、アメリカの二大政党制そのものは大変いいものだと思っています。それぞれにシンクタンクがあり、政策の議論も深まります。ただ、そのためにはマスコミに対する影響力、あるいはマスコミがおよぼすサポートもできるだけ公平であってほしいと思います。少なくとも現在、大統領は共和党であり、議会勢力はほぼ拮抗(きっこう)しているわけですから、民意を反映しているのであれば、マスコミも、規制がないとはいえ、ある程度は二大政党を同じ程度に扱っていないとおかしいはずです。ましてや、民主党べったりという状況はどう考えても異常としか言えません。

もっと見方を変えると、アメリカ国民はそれだけ民主党側に偏向しているメディアの状況にもかかわらず、みずからの選択としては両者を対等に扱うだけのメディアリテラシーがあるとも考えられます。大統領選挙当時、メディアはヒラリー・クリントン氏支持一色だったのに、中西部から北東部のいわゆる「ラスト・ベルト(さびついた工業地帯)」で鬱屈していたアメリカ人は、決してメディアには流されず、民主党やヒラリーが語る「リベラル」が、自分たちの苦しさを無視し、東西の両海岸に住む「いけ好かない金持ちエリートたち」のための政策であることをしっかり見抜いていたわけです。

日本では最近、大阪のテレビメディアが元気だということが知られるようになってきました。「そこまで言って委員会ＮＰ」（読売テレビ）や「正義のミカタ」（ＡＢＣテレビ）などといった独自制作の番組では、東京のキー局であれば取り上げなかったり、矮小化してしまったりするだろう意見を公平に汲み上げ、異なった意見同士を戦わせようとする健全さが感じられます。人気も高いのですが、なぜか東京圏ではネットされません。表向きはいろいろ理由があるのでしょうが、これだけで、じつに日本の総人口の約3分の1が、これらの番組から遮断されているわけです。代わりに「サンデーモーニング」や「羽鳥慎一モーニングショー」「報道ステーション」（いずれもテレビ朝日系）、「時論公論」（ＮＨＫ総合テレビ）などが、さもまともなもののように東京発の全国ネットとして流されているわけです。

繰り返しますが、新聞や雑誌といった文字の媒体であれば、まだいいのです。誤報で実害をおよぼしたり、名誉毀損でもされたりしないかぎりは自由であるべきですし、異なる意見を持っている人が対抗手段も取りやすいのですが、放送メディアにおいて同じことがあってはなりません。

いっそのこと放送法第4条を廃止すればメディアは多様化する?

これだけ放送メディアでプロパガンダまがいの偏向が当たり前になってしまったいま、私はむしろ、いっそのこと放送法第4条の取り決めをやめてしまうことも選択肢に入るのではないかと思います。

じつはアメリカにも、かつて日本の放送法に似たような法令がありました。「フェアネス・ドクトリン」と呼ばれていたもので、テレビなどでは公共の利益に関連する異なった政治的意見を公平に取り上げなければならないという法律でした。公平性はFCC(連邦通信委員会)が決めることでした。しかし、これは表現の自由と競合しているという見方が強く、結局、1987年にすべて撤廃され、メディア側がほとんど自由にできるようになったわけです。その背景には、広大な国土でケーブルテレビや衛星放送のマーケットが発達し、早くから多チャンネル化され、ラジオ局なども小資本で多数運営され、新聞と放送局の株の持ち合いも少ないため、国民に独立した情報源を十分に確保できるようになったという判断がありました。

一方、日本の場合、人口密度が高いこともあって、少数の地上波各社が圧倒的に強く、新聞社との株の持ち合いが多く、細分化されすぎたケーブルテレビも含めて、そのほかのメディアは広告収入の面で著しく不利です。しかも、ほぼすべての大本の情報源が共同通信なので、独立した情報源がきわめてかぎられています。だから国民の知る権利を確保するために、放送法の制限が必要だと考えられています。

地上波が強すぎると、結果的に広告媒体としての影響力としても地上波が独占的に業界を支配する構造になりやすく、広告費の多くが地上波に集まります。裏返せば、極端な話、広告代理店さえ押さえてしまえばプロパガンダがかなり有効に、簡単にできることにもなりかねません。ただし、2019年、大手広告代理店の電通(でんつう)は赤字に転落し、いまやインターネットの広告収入は急速に拡大しています。

インターネットメディアの普及は、少なくとも日本においては、こうした構造に初めて根本的な揺さぶりをかけていると言えるでしょう。つまり、日本でもようやく、放送法第4条の取り決めをやめてしまっても構わない状況ができつつあるわけです。これからも独立した情報源を十分に確保できるのであれば、むしろ国が放送法を改正して放送メディアが流す情報は「不偏不党」ではないことをしっかり国民にアピールすることのほうが大切になるかもしれません。勝手に有権者を誘導していると勘違いしてやりたい放題のプロパガンダを続けているメディアは、やがて見向きもされなくなるでしょう。

要するに、朝日新聞やしんぶん赤旗を「不偏不党のメディア」だと思って読んでいる日本人がいないのと同様です。朝日や赤旗は部数の減少に苦しんでいるそうです。彼らは非常に正直に、正々堂々と（？）主張しているからですが、放送メディアが放送法を遵守していると主張しながらプロパガンダまがいの解説や意見を流しているのに、人々に気づかれないままでいることは危険です。

ならば、むしろ放送も同じであることをオフィシャルに宣言してしまったほうが、かえってプロパガンダを可視化し、民主主義のための健全な議論の空間をつくることに貢献できるかもしれません。

ちなみに、以前あったフェアネス・ドクトリンとは別に、選挙時にイコール・タイム・ルールがあります。ある候補者に時間を提供するのであれば、対立している候補者に同じ時間を同じ料金で割り当てなければなりません。このルールは現在も生きています。

悪意がないからなおさらタチが悪い日本メディア

私は日本のマスコミはすっかり公平性から遠ざかり、ウソばかりを流し、調査もろくにしていないと考えていますが、だからといって急にメディアが反省し、見違えるようにいい仕事を始めることも考えにくく、しばらくは「メディアとは一方的な見方ばかりするものだ」と割り切って接していくよりしかたがないと思っています。やや達観しすぎかもしれませんが。

ただ、NHKや朝日新聞を見て、それが正しい情報だ、そこから流れてくる見方や考え方が正義なのだと無批判に受け取ることはやめたほうがいいでしょう。もっとも、裏を読み、批判しながら朝日新聞を解読する行為は、それはそれでなかなか刺激的で、おもしろい知的ゲームでもあります。私もFOXニュースばかり見ている自分を反省し、意図的にCNNも見るように心がけています。もっとも、血圧が上がってしまい、健康に害がありそうなのは困りものですが（笑）。

もうひとつ、別の角度から日本のマスコミが陥りやすいプロパガンダの危険性を考えておきます。日本人の多くはおそらくこう考えているでしょう。就職先として人気が高く、大企業として名が通っているメディアは、非常に入社が難しく、同時に優秀な人材が集まっていると。

入社が難しいというのは、人気が高い以上、ある程度、そのとおりでしょう。しかし、現時点で、メディアで働いている人、実際に現場にいたり、編集権を行使できる立場にいたりする人が本当に「優秀」なのかというと、案外、そんなこともないだろうというのが私の印象です。いくつか例を出しましょう。

私が知る、ある民放キー局のディレクターが、番組放送前のカメラリハーサルをしているとき、まだ来ていない識者の代わりにスタジオの席に座って識者の役を演じながら、こんなことを言ったそうです。

「安倍さんは本当にすごいと思いますよ。野党のモリカケ（森友（もりとも）学園、加計学園問題）だのなんだの、ああいうのはめちゃくちゃですよ」

もちろん放送されているわけではなく、テスト用にしゃべっただけであり、内容もほんの雑談レベルです。しかし、この様子をサブ（副調整室、放送全体を見通して指示を出したりカメラを切り替えたりする部屋）で見ていたプロデューサーが、すかさず飛び出てきて、このように叫びました。

「ちょっと！　そんなこと言っちゃダメだ！」

それがプロデューサーの信条であり、同時に番組の「方針」なのです。

番組づくりにおいてプロデューサーは絶対的な存在ですから、ディレクターは逆らえません。こんな言葉をかけられれば、萎縮することは間違いありません。放送現場でも、若いスタッフであれば、政治的公平性をおもしろい議論に結びつけ、エキサイティングな番組づくりに生かしたいと考えている人もいます。しかし、テレビのスタッフは一般的に年齢が上がるほど左派的で、上司である彼らはそういう番組づくりを好みません。

もちろん私は、個別のテレビ番組でどのような政治的性向があり、そして制作スタッフのなかの誰の政治的意図がどのように番組に反映されているかなど知るはずもありません。ただ、結果としていくつかのニュースショーを見ているとき、司会者やスタッフ、コメンテーターまでが加担し、テレビ局の権力構造のなかで政権に反することを目的としている可能性を考えておいたほうがいいと、つねに思って接しています。

もうひとつ指摘しておきましょう。これはある官僚出身者の話として聞いたのですが、その人によれば、マスコミの人間はたいてい不勉強で、おかげでかえってコントロールしやすいと言います。

マスコミ、とくに新聞記者はつねに時間に追われ、担当分野を勉強する時間もなければ、深い調査をする時間にも欠けていて、官庁側が流す資料、およびその解説をありがたく使う傾向があるそうです。つまり、仮に入社当時は情熱的なジャーナリストを目指していたとしても、少なくない人たちはやがて堕落し、スポイルされていくわけです。

これを利用すれば、官庁側に都合のいい論調をつくること、あるいは官庁側が発表しなければならないもののあまり知ってほしくない内容に触れさせないよう誘導することは、じつはたやすいのだと言います。そのまま記事に使えそうな資料、文章、そしてロジックを準備してあげて、記者クラブに流す。あるいは、とっておきのネタを手なずけている記者に渡す。これだけで、官僚は世論を動かし、新聞記者はさも手柄を立てたような顔をしながら、うまく手抜きができるわけです。

新聞記者も、おそらく難しい試験に合格しているのですから、入社した当時は優秀だったのかもしれません。しかし、次第にニュースを素早く生産する機械のような存在になってしまい、地味で面倒なわりに上司に評価されにくい調査報道からは遠ざかっていきます。官庁の発表を鵜呑みにせず、異なる意見を持っている識者に質問する手間も惜しむようになってしまいます。専門的な記者を配しているつもりの新聞ですらこうなのですから、放送メディアの場合はもっとタチが悪いと考えるべきでしょう。

ここで、私たちが「やはりマスコミの記者というのは、ろくでもない連中だ」と考え、批判するのは簡単です。しかし、私は問題の本質はもっと先にあると感じます。

彼らマスコミの内側にいる人間は、すでにそうした異常な状況に慣れ切ってしまい、ニュースを料理する感覚が鈍ってしまっています。そのために、自分たちがさらに外部の勢力に操られ、都合のいい情報を送り込まれていたとしても、もはやそれにすら気づけていないというリスクを知っておくべきでしょう。つまり、視聴者は結果として、知らないうちに遠隔操作的にプロパガンダに引っかかりやすくなってしまうわけです。

あなたのすぐそばに迫り来るプロパガンダ

マスコミのなかにいる人が、意識的にせよ無意識的にせよ、自分たちが持っているマスコミュニケーションの力を、プロパガンダに利用したり、そのまま外部の勢力に供給したりしているケースが少なくないことを、私たちは警戒すべきです。少なくとも、マスコミから流れてくる情報を、絶対に鵜呑みにしてはならないでしょう。米中対立を伝える際、PRCが言うことを代弁したり、日韓の対立において韓国を擁護したりするような人には、警戒心を抱かなければなりません。私は陰謀論を好みませんが、つねにこうしたリスクを意識しておくことは大切です。

言い方を変えましょう。陰謀論などに頼らなくとも、プロパガンダはこれまでも、いま、この瞬間も、私たちの周辺に、当たり前に存在しているわけです。

プロパガンダとは、特定の思想によって個人や集団に影響を与え、その行動を意図した方向に仕向けようとする宣伝活動の総称です。くわしいプロパガンダのテクニックは第5章で解説していきますが、モノやサービスの営業活動や宣伝活動も一種のプロパガンダです。セールストークやテレビショッピングを思い出していただければ想像できるでしょう。政治的な意図を持つ人も、セールスや通信販売への誘導と同じように、宣伝活動をしていることが多いわけです。

モノやサービスを買わせたい側の気持ちを想像してみましょう。目的は買ってもらうことだけですから、それ以外の、都合の悪い情報はなるべく遮断したいし、否定したいと考えます。いい商品ですよ、こんな人が推薦していますよ、こんな権威ある団体が認めていますよ、みんな使っていますよ、他社の商品より優れていますよ、他社の商品にはここだけの話、問題が多いんですよ……このような調子で、一方的に刷り込みを図るのです。つまり、政治的なプロパガンダは、同じことを政治や思想、イデオロギーでやろうとしているだけでもあるわけです。

しかも、モノやサービスには本当にいいものがあるように、政治的な意図にも「いいもの」があっておかしくありません。いいものやサービスを教えてくれた宣伝（＝プロパガンダ）を、プロパガンダだと毛嫌いする人はいません。それとまったく同じ構造なのが、旧東側諸国に対して行われていた西側のプロパガンダです。

アメリカや西欧各国は、民主主義、自由主義こそ理想的で豊かに暮らせる政治的手段、政治体制であると当時、短波放送を使って宣伝しました。「ラジオ・フリー・ヨーロッパ」がとくに有名です。これは、東側から見ればどう考えても「悪いプロパガンダ」です。しかし、当時、東側諸国で、欠陥と矛盾に満ちた共産主義政権のもと、圧政と貧困に耐えていた人たちは隠れて必死にラジオの内容を聞き取り、やがて民主化を達成し、ベルリンの壁をたたき壊したわけです。

あれから30年、いま、中国共産党が行っているプロパガンダも本質的には同じことです。

国内の記者にいわゆる「習近平思想」（習近平による新時代のＰＲＣの特色ある社会主義思想）を徹底させ、中国共産党の立場だけを伝えさせ、外国から入ってくる中国共産党に不利な情報は遮断します。インターネットにも強く規制をかけています。なぜなら、彼らは東欧革命やソ連崩壊の一部始終をよく研究しているからです。

むしろ、中国共産党の息がかかった勢力が日本のメディアに浸透していることを警戒すべきでしょう。ただでさえ日本人は性善説の傾向が強いわけです。これは皮肉にも「プロパガンダなどという卑怯なまねをしてはならない」という考えから転じて、なぜか「日本ではプロパガンダなどという卑怯なまねをする人はいない、プロパガンダなど存在しない」という楽観的な常識に変化しやすいリスクを抱えていると、私には映ります。正直で誠実であることを追求している日本人は、もし日本人しかいない、あるいはそんな日本を好んでやってきた外国人だけで構成されているのであれば大変美しい社会になるのでしょうが、国際情報社会、そしてイデオロギーの戦いが再び加速しているいま、残念ながらプロパガンダに対する知識も免疫もない無防備な社会になってしまっていることを自覚すべきです。モリカケ問題、「桜を見る会」問題……その都度、内閣支持率が上下し、人々はメディアから流れてくる情報に一喜一憂しています。これはシンプルに言ってしまえば洗脳です。たやすくプロパガンダに操られている日本人の姿そのものです。困ったものです。

メディアの情報コントロールを見破るヒント

メディアから流れてくる情報には、大衆操作や世論喚起の目的が少なからずあることを認識し、意識しながら接するべきでしょう。要するに、メディア情報は鵜呑みにしてはならないということです。

テレビでこんなニュースを流していた、新聞にこんなことが書いてあった、という事実をもって、その情報が「正しい」と信じる人が日本には多すぎます。それは正しいかもしれませんが、間違っている可能性もあり、ごくくだらないことを、さも大ごとのように取り上げている可能性も、ほかの重要なニュースから目をそらすために伝えている可能性もあります。

政治的な意図もえてしてして隠します。日本の左派は「市民の人権を守れ、権力の横暴に反対する」と言っていますが、中国共産党が香港やチベット、ウイグルで行っている人権弾圧、横暴としかいいようのない権力行使には触れません。これを総合すれば、彼らはやがて中国共産党のような権力が日本を支配したら、その手先となってプロパガンダをばらまく未来しか私には見えません。

メディアで情報に接したとき、私たちが信じていいのは、「今朝の朝日新聞の社説に、ナントカカントカと書いてあった」という事実、「昨日、NHKの『時論公論』で、○○解説委員がどうのこうのと言っていた」という事実だけです。社説や某解説委員が語っていた内容が正しいなんて、メディアの名前を見て信じてしまってはならないのです。

小さな話で言えば、インターネットニュースに流れてくる芸能人のゴシップや、雑誌やタブロイド紙の「噂」であれば、そのまま信じる人はさほど多くないでしょう。一般の新聞にも、テレビにも同じような気持ちで接するトレーニングをすべきでしょう。「朝日新聞にこんなことが書いてあったけど、本当なのか?」という意識をつねに持っていれば、プロパガンダに引っかからず、見破り、その意図をより感じられるようになるはずです。

トレーニングの方法として、ひとつおすすめしておきましょう。私も理事を務めている「放送法遵守を求める視聴者の会」のホームページがあります（http://housouhou.com/）。ここでは報道番組を分析し、どのような放送法違反があったのかを検証し、ほぼ毎日提供しています。できれば、ご支援もお願いしたいところです。

第4章

プロパガンダの魔の手から日本人を守るには

グローバル社会ではプロパガンダを食い止められない

日本人は、正直で誠実です。私はそんな日本が大好きで、人生の半分以上を彼らとともに過ごしてきました。それだけに、プロパガンダに対してなんら免疫を持たない日本人が、とても不安になります。

第3章でも少し触れましたが、正直、誠実で互いを信用する社会を追求していくと、悪意をもとに人を騙す人はほとんどいなくなり、そんな卑怯な行為をする人など映画やドラマ、小説のなかのつくりごとだと感じるようになります。おかしな話ではありますが、騙す人の存在自体に無関心、無頓着になってしまうリスクがあるわけです。日本はすばらしい社会ですが、そこから発しているこうした認識の甘さは今後、日本を追い込んでしまうかもしれません。

いくら日本が海によって他国と遠く隔てられ、独自の文化や言語を持っているとは言っても、現在のようにグローバル化、情報化した社会において、プロパガンダの波状攻撃を食い止めることは絶対にできません。さらに、いまやプロパガンダの方法、手法は必ずしも押しつけがましい、わかりやすいものではなくなり、戦略化し、巧妙なものとなっています。

あらかじめ十分な知識と免疫がないと、簡単に染められるリスクがあると感じます。真っ白な日本だからこそ、危険なのです。

キャッチセールスとの交渉に学ぶ「戦い方」のヒント

まだリスクがはっきり理解できない方も少なくないでしょう。そこで、生活におけるわかりやすい例で説明していきましょう。

日本人のなかには、訪問販売によるキャッチセールスを断りにくい、あるいはたとえ本心ではいやでも断るくらいなら買ってしまおうと考える人が少なくありません。みなさんにも1度や2度、思い当たるふしがあるのではないでしょうか。

読みたくもないし、捨てるのが面倒な新聞、飲まないまま捨ててしまうことも多い健康食品や牛乳、自分のために役立っているとも思えない町内会費……どれも似たようなものです。日本で暮らしていると、あまり直接的に「お金を出してほしい」と勧誘されることはありませんが、いざ来られてしまうと非常に断りにくいものがあります。

ただ、彼ら営業担当者の名誉のために、いい話もしておきましょう。世の中にはいいキャッチセールスも存在することを、私が証明します。

かつて家に電話がかけてきて、私に「マンションを買わないか」と誘ってきた人がいました。こんな話、読者のみなさんであれば100人中99人が「いま忙しいので」と言ってすぐに電話を切るでしょう。ところが、その当時の私は、マンションの投資に多少関心がありました。ただ、手元にたいした資金もありませんし、銀行が私にお金を貸すとも思えなかったので、行動に移していませんでした。

そこで、電話の向こうの営業マンに、断る代わりに「頭金にできるお金も持っていないけれども、銀行が貸してくれるのなら買ってもいい」と伝えたところ、彼は自信を持って借りられると言い切り、実際に彼の紹介で融資を受けることができたのです。おかげさまで最終的にいくらか利益を上げることができました。

この話から受け取っていただきたいのは、キャッチセールスに乗るには、ある程度の「力」がないといけない、というポイントです。

私は弁護士です。セールスをかけてきた会社が実在するのか、しっかりした実態があるのかを調べることは難しくありませんし、弁護士として不動産にかかわるビジネスもしていたため、基礎知識も、いま不動産を買うことのメリットについてもよく知っていました。そして、キャッチセールスをかけてくる相手の勢いに負けないだけの交渉力もあります。そうしたビジネストークは仕事で慣れているからです。つまり、私がキャッチセールスに応じたのは、その話のメリットを見きわめられるだけの情報判断力があったからで、決して営業マンの押しの強さに負けたり、営業マンを気の毒に思って断りづらくなったりしたわけではないのです。

騙される理由のほとんどは「人を疑うことは悪」という美徳

私のところには、いままでもさまざまな話が持ち込まれます。この本のような出版の企画はもちろん、セミナーや講演の依頼、新聞、雑誌やインターネット記事の取材だけでなく、まだ具体的なかたちになっていない企画が持ち込まれます。そのなかには、ときどき怪しい話もまぎれ込んでいます。

そんなとき、私は頭から否定したり、断ったりはなるべくしないようにしています。まず、その企画を持ち込んだのがどのような人なのかをよく観察し、その人だけでなく、その人が所属している会社や団体の背景をチェックします。この時点で、先方が一度も成功と言えるような実績を残していないのであれば、さすがに慎重に検討しなければなりませんが、それでも今回の企画が初めての成功例になるかもしれません。その場合は話の内容を検討し、リスクとリターンの度合いを考えて、許容できるのであればやってみるという判断もありえます。

その結果、失敗することもあります。不運にも悪意ある人に騙されてしまうこともあるわけです。しかし、決断した時点で私がリスクを検討し、判断しているのですから、責任の一部は私にもあることになります。自分を責めたりはせず、ミスを反省して、次につないでいくようにします。

私にかぎらず、ビジネスは本来、このようなトライアルとエラーの繰り返しの先に成功があるわけです。この点はあとで少しくわしく述べたいと思うのですが、日本では少々事情が違うこともあるようです。

私が聞いて非常に驚いたのは、慎重に検討すること、リスクとリターンの度合いを考えて判断することそのものを、「人を疑う」という、あまり品のよくない行為だと考える日本人が少なくないということ。それも、地位も財産も申し分がない、教養ある昔からのお金持ちにその傾向があるのです。

たとえば、こんなパターンです。

十数億円の資産を持ち、普段の暮らしには何ひとつ不自由がない人がいます。ビジネスの一線からはすでに退いていますが、十分な配当収入があります。そんな状況をかぎつけ、いろいろな投資の話が持ち込まれます。

株や不動産を買わないか、海外の金融商品を買わないか、という誘いであれば、さすがにリスクとリターンを検討するだけの能力と情報を持っています。ところが、ずいぶん年下の、夢と希望を背負ったような青年たちが現れて、やや幼稚なビジネスプランとともに熱い夢を語られてしまうと、どうしてもアドバイスしたい、若い人の味方でありたい、背中を押して応援してあげたいという気持ちが先に立って、そのビジネスが成功するかどうかを冷たく検討する自分を許せなくなってしまうというのです。

ところが、そもそもこの話は最初から詐欺です。アドバイスを聞いて会社を設立し、出資させ、さもビジネスが立ち上がっているように見せかけながら、スタートアップの楽しい状況、ワクワクする日々を演出し、さらに出資を引き出します。

ところが、ある日突然、ぱったり連絡が途絶えます。設立していたはずの会社を訪ねても、どこにも存在していません。こうして、数千万円を騙し取られたことに気づくというわけです。

10億円を超えるような資産を持っている超富裕層であれば、数千万円程度失おうとたいした影響はありません。だからなのか、こうした層は、相手を責めたり、お金を取り返そうとしたりするより、むしろ自分を反省することになります。会社のお金ではなくポケットマネーですから、自分さえ納得すれば何も影響はありません。

こうした人の心理は、「人を疑う心を持つくらいなら、数千万円を失ってもいい」という驚くべきものです。そして、次に同じような話が持ち込まれても、さすがに以前より多少は用心深くなるのでしょうが、それでも若い人を助けたいという気持ちは変わらないのだそうです。日本人らしい性善説の塊で、人を疑うことがむしろつらいのです。

これはあまりにも縁遠い話と考えるかもしれませんが、友人にお金を貸すシチュエーションを想像してみましょう。数万円、数十万円程度なら、貸すべきかどうか、本当に返してくれるかを考えるより、相手を信じてあれこれ考えずに貸してしまうことに美徳を感じるのが日本人です。意外と簡単に融資の連帯保証人になって損をする人が多いですよ。

性善説は自分をダメにします。この話で言えば、デューデリジェンス（M&Aなどにおいて、事業や資産などの中身をくわしく調べ、検証すること）より性善説を優先させては絶対にいけないのです。

そんなの大金持ちだからできるのだ、さすがに自分はそこまで甘くないと考える方も多いでしょう。しかし、本質的には大差ないのではないでしょうか。日本の広告代理店は、基本的に性善説の人を対象に宣伝の戦略を考えていると私には映ります。怪しい政治勢力のPRもまったく同じです。日本人がこの状況を自覚できているとは、お世辞にも言えないことです。

性善説中心の日本人の多くは、こうしたところに弱点を抱えています。買えと言われたら断れない、お金を出してほしいと言われれば信じたくなってしまう、クビにしなければならないのに話を切り出せない、誰からかわからない電話なら出なければいいのに、つい取ってしまう……もし読者のみなさんにも思い当たるところがあるなら、プロパガンダに引っかかりやすい自分を疑うべきでしょう。

佳子さまがメディアに感じた「懸念」

こうした日本人の性向に「苦言」を通じて力強く警鐘を鳴らしている方がいるのをニュースで見て、私はとても驚きました。その方とは意外にも、秋篠宮家の次女、佳子さまです。

2019年3月22日、ご自身の国際基督教大学（ICU）ご卒業にあたって、記者団からの質問に文書で回答した内容が、ニュースに出ていました。ここで、姉の眞子さまの婚約延期問題に対する質問を受けるかたちで、メディアに対し、非常にストレートな意思を示されたのです。

問4　秋篠宮さまは去年（引用者注・2018年）11月のお誕生日にあたっての記者会見で、佳子さまの結婚について「それほど遅くなくしてくれたらいいとは思います」と話されました。結婚の時期や、理想の男性像についてどのようにお考えでしょうか。お相手はいらっしゃいますか。眞子さまは、結婚に関する儀式を延期されていますが、家族としてどのように受け止めていらっしゃいますか。

ご回答
（略）姉の件に限らず、以前から私が感じていたことですが、メディア等の情報を受け止める際に、情報の信頼性や情報発信の意図などをよく考えることが大切だと思っています。今回の件を通して、情報があふれる社会においてしっかりと考えることの大切さを改めて感じています。（宮内庁ホームページより）

眞子さまの婚約延期問題については触れませんが、基本的に儀礼的な回答に終始することが多いこうしたやりとりにおいて、メディアに対して直接苦言を呈するというのは、本当に驚きましたし、じつによく状況を観察していらっしゃると感心しました。
佳子さまの回答においてとくに注目すべき点は、「情報の信頼性や情報発信の意図などをよく考えることが大切だ」という、じつにストレートな指摘です。
私の言葉に言い換えるなら、「メディアを疑うべきだ。なぜなら、メディアの伝える情報が信頼に足るかどうかはわからないし、メディアが情報を発信する際には意図があるからだ」ということです。まさにそのとおりで、その警告に拍手を送りたくなります。

メディアが伝えている情報を頭から信じてはいけない、メディアがその情報を伝えていることの意図を考えよ、という思いは、姉の眞子さまをめぐるさまざまな記事に接してきたなかでの「確信」なのでしょう。皇族として、心のなかで思っているだけなのと、実際に意思として表明することには大きな差があります。

私がさらに「超訳」すれば、佳子さまは「メディアのプロパガンダに気をつけよ」と警告しているのです。

グレタ・トゥンベリさんの背後に見えるプロパガンダの影

同じ2019年、世界的に最も有名になった人は、地球温暖化への対策を強く訴えているスウェーデンの高校生で「環境活動家」のグレタ・トゥンベリさんかもしれません。ノーベル平和賞の候補になったとか、「タイム」誌が選ぶ「今年の人」になったそうですから、異論はないでしょう。

彼女は温室効果ガスを排出する飛行機での移動を否定し、ニューヨークの国連気候行動サミットやスペインで開かれたCOP25（国連気候変動枠組条約第25回締約国会議）にヨットでやってきて、経済活動による温暖化のために「人類は絶滅の入り口に立っている」などと激しく訴えているわけですが、これはプロパガンダの典型と見るべき事象です。最近になって、ようやく多くの人が気づき始めているのは幸いです。

もちろん、彼女がどんな主張をしようと構いません。考えを表に出すことは悪いことではないでしょう。ただし、温暖化が人類を滅亡させる可能性は科学的根拠が薄く、大声で演説して世界を納得させられるようなものではありません。それでも、発言する自由はあります。

ところが、「16歳の高校生」がヨットでやってきて主張すると、途端に勇気があるとか、指導者は彼女や未来の世代の声を聞くべきだとか、大衆は賛同を示し始めます。急に飛行機に乗ることに罪悪感を持つ人が増えたそうです。

そんなに温暖化が心配なら、彼女が乗っているヨットや、着ているもの、食べているものなどを生産した経済活動もいっそ控えるべきなのではないか、などという指摘は大人としてクールではないかもしれません。

より核心的な考えを述べましょう。万が一、彼女の考えが100％正しかったとしても、彼女自身を表に立たせて主張させること自体、非常によくないことです。同じことをケント・ギルバートが泣きながら述べたら？　あなたが大声で怒鳴ったら？　そもそも、国連の場で演説などできないでしょうし、彼女よりメディアに取り上げられたり、信頼されたりするでしょうか。

彼女はおそらく主張している内容を信じているのでしょう。しかし、未成年です。その主張を検証し、確信を持つ過程において、誰かに洗脳され、そそのかされ、利用されている可能性は、彼女が成人したあとより現在のほうが格段に高いはずです。

古今東西、子どもはプロパガンダに使われてきました。トゥンベリさんを見て、少なくない人たちは、「まだ子どもなのに、勇気を出して堂々と話した。偉い」と彼女を称えています。

でも、私の考えは、「子どもに政治的な主張をさせ、利用しては絶対にいけない」というものです。ましてや世界中の指導者を罵倒し、アメリカの温室効果ガス排出を批判するくせにＰＲＣについては積極的に触れていない時点で、背景にどのような考えを持っている組織、あるいは勢力がいるのか、ある程度は想像がつくのではないでしょうか。彼女は温暖化を止めるためではなく、世界を分断させるために利用されている可能性を、大人こそ良識を持ってしっかり検討すべきでしょう。

また、彼女の演説にはいくつかプロパガンダの典型的手法も見て取れます。トランプ大統領を「科学に耳を傾けよ」と名指しで批判するのは、Ad hominem（相手の発言に対してではなく、いわれのない個人攻撃、第5章、211ページ）ですし、「地球温暖化はよくない」という言い方は、Appeal to fear（恐怖に訴える、同197ページ）という手法、「未来が危ない」という抽象的な主張も、「光り輝く総論」（同185ページ）や「徳の言葉」（同251ページ）という手法として解釈できます。そして、大声で涙を流し、感情的を揺さぶってくるのは、独裁者が使ってきたパターンでもあります。

私は彼女が「2019年の顔」にふさわしいとは思いませんが、多少ポジティブに解釈すれば、彼女は最近で最も成功したプロパガンダの広告塔として、いい観察対象になってくれていると言えるでしょう。この本をよく読んで、彼女の今後の活動を見定めるとより理解が深まるに違いありません。

フェイクとファクトを見破る「4つの基準」

まずは、第5章のプロパガンダのテクニックをよく読んでください。それぞれに解説と事例を載せています。ご自分でも思い当たるふしがないのかどうか考えてください。これから注意すれば、きっと自分の周囲にプロパガンダがあふれていることに気づくでしょう。

それから、テレビでどんなプロパガンダが放送されているのか、「放送法遵守を求める視聴者の会」のホームページをご確認ください。典型的なパターンがすぐ見えてきます。無料会員にもなれますが、すべての報告を見るためには月1000円の会費がかかります（https://housouhou.cd-pf.net/）。それ以外にプロパガンダによって洗脳してくる勢力に対して、私たちが個人としてできる対抗手段にはどのようなものがあるのでしょうか？これは、日々流されてくる情報を、そのまま鵜呑みにしないためのチェック項目でもあります。

何かの情報に接したら、そのまま信じる前に、まず以下の項目を検討するくせをつけましょう。

①大本の情報源、出どころはどこなのか？
②誰がその情報を流している可能性があるのか？　話し手やメディアの背景に誰がいるのか？
③情報の根拠は信頼できるのか？　オリジナルのデータやファクトは確かか？
④自分も、偏見によってその情報を歪めて受け取っていないか？

すべての情報はプロパガンダであるとも言えますが、かといって、すべての情報を信頼せずに生きていくわけにもいきません。ある情報、あるニュースを無批判に１００％信じるのは問題があっても、80％、あるいは「話半分」として50％程度は信用するという方法もあります。証拠の精度によって、あとから上げ下げしてもいいわけです。鵜呑みにするのは危険すぎますが、全部を否定し、絶対に信じないというのも現実的ではありませんし、それは自分が発する情報が信頼してもらえない状況を肯定することにもつながります。

「第一印象」には必ず偏見がある

このなかで少し特殊なのは、最後に挙げた「自分も、偏見によってその情報を歪めて受け取っていないか？」という項目です。

私たちは誰でも偏見を持っています。これはひとりの人間である以上、どうしようもないことです。私たちはすべての情報、すべての事象を知っているはずもありません。知っていること、あるいはそれをもとにした思考には必ず偏りがあり、時間をかけ、努力を重ねてだんだん偏りを少なくすることはできても、完全になくすことは、どれだけ優秀であろうと、おそらく死ぬまでかかっても難しいでしょう。

困ったことに、私たちは第一印象の段階でかなりのイメージを決めつけてしまいます。しかも、その第一印象はなかなか消えません。初めて会った他人のことを数分、へたをすれば数秒のあいだに、見た目、話し方、表情などで決めつけ、そのイメージに沿ってコミュニケーションを取ってしまいがちです。新しい情報に接したときも、最初に目や耳に飛び込んできた情報がいちばん強く残ります。そのため、見出しや最初の数行を見ただけで、頭のなかで勝手にイメージを広げてしまい、かえって情報の本質を見失うこともあるわけです。

これを「悪用」した簡単なプロパガンダの方法を紹介しましょう。あなたが第三者に誰かを紹介する場面を想像してください。

A「こいつ、昔はいろいろ問題があるやつだったけど、いまは本当にすごいんだよ」

B「こいつ、本当にすごいやつなんだよ。昔はいろいろ問題があったけど」

情報の内容は同じですが、順番を変えています。この例では、Aで紹介されると、断然印象が悪くなります。まず相手に「昔はいろいろ問題がある人間だった」というネガティブな情報を植えつけ、先入観を刺激して警戒させてしまうからです。Bでは正反対で、「すごい人間」という情報が紹介者のあなた自身によってまず保証され、「昔は問題があったこと」はその背景、おもしろさ、深みになりますから、受け取り方は全体としてポジティブになります。

つまり、あなたが本当はその人を紹介したくない場合、あるいはその人をシンプルに嫌っていて、できれば陥れたいと思っているのであれば、Aのパターンを使いましょう。紹介して恩を売っているように見せかけて、本当は巧みに評判を落とすことができます。きわめて簡単な情報操作です。

どちらにしろ、自分からプロパガンダ（情報）を発信するとき、第一印象に最高の注意を払ったほうがいいでしょう。

プロパガンダにいちばん強いのは「5ちゃんねる」!?

SNSが発達すると、こうした身の回りの小さなプロパガンダも手が込んだものになり、うっかりしていると知らないうちに洗脳まがいの影響を受けてしまっているリスクがあります。

SNSは、その特徴として、考えや立場の近い人で固まりやすい（自分が受け入れやすい情報ばかりになる）弱点があると思います。最も気の合う人同士でコミュニケーションしたり、志を共有できる人の考えを知ったりするほうが精神的には楽です。およそ理解不能な人のSNSを見ることは正直言って苦痛ですし、ときには私のように血圧の薬の量を増やさなければならなくなります（笑）。

ただ、ここにも偏見や先入観という罠が潜みやすくなります。SNSを通じて受け取っている情報は自分が受け入れやすい情報ばかりで非常に気分はいいのですが、その代わり、大本の情報源や出どころ、信頼性などへの警戒心は薄れていきます。同時に、SNSで得ている情報がさも世の中全体を映し出し、正しく切り取っているかのように誤解し、結果として歪んだ理解になってしまうことも考えられます。さらに言えば、近い人同士のSNSの世界では議論が起こりにくく、起こっても深まりにくいため、本質や真実がなかなか見えてこなくなります。これは、プロパガンダを防いでいるようでいて偏食的な状況に陥ってしまい、かえって無警戒、無批判になりやすいと考えるべきでしょう。

そこで、いくつかアイデアを提供したいと思います。まず、自分とは正反対の意見を持つ人のSNSもわざと一定数フォローし、その中身を、あくまでトレーニングとして、エクササイズとして読むくせをつけることです。ツイッターで両極端な意見の識者や評論家をそれぞれフォローしておくと、同じ事象に対してどんな反応をしているか簡単に比較することができます。どちらが正しいとか、どちらを信じるという以前の話として、こうしたプロセスに慣れておくこと自体が、自分の身をプロパガンダから守る力の強化につながります。

もうひとつ提案しておきましょう。これはある方から聞いたアイデアで私も非常に共感したものなのですが、かつて「2ちゃんねる」と呼ばれていた掲示板、最近では分裂して「5ちゃんねる」がメインだそうですが、あれこそがプロパガンダから身を守る最も有効な場だというのです。

SNSの普及ですっかり忘れられた感がある「5ちゃんねる」ですが、この掲示板は大きな特性として、（少なくとも表面的には）完全な匿名であること、情報の表示に時系列以外の順序がないこと、そしてかつては「便所の落書き」とたとえられたように、一見めちゃくちゃでむき出しな書き殴りのようでいて、ときには時間の進行とともに不特定多数の参加者によって議論が深まり、情報が研ぎ澄まされていくという点です。さまざまな見方、考え方、さらに情報や憶測が提示され、賛成する人、反対する人が検証し、ずっと追いかけていくと、次第に結構まともな結論めいたものがつくりあげられていく、というわけです。

SNS全盛のいまではなくなってしまった「集合知」の感覚があり、匿名だからこそかえって先入観なく、フェアでニュートラルな議論が形成されやすくなるので捨てたものではないのです。ハンドルネームすらない書き込みということは、書いている人が中学生でも東大教授でも見分けがつかないということでもあります。

ツイッターを比較対象とすれば、ツイートの集合体でも議論はできますが、アカウントそのものは匿名にできても、アイコンやアカウント名を見ると、何歳くらいなのか、どれくらいのキャリアがあるのか、自民党支持者なのか、日本共産党支持者なのか、安倍政権を応援しているか、けなしているかなど、ある程度の方向性は見えてしまいます。すると、受け取る側にも先入観が発揮されて、日本共産党を支持している人の情報を見なくなり、安倍政権を批判している人にかみつきにいったりしてムダなエネルギーを使ってしまいます。こうした状況はある意味、プロパガンダ的です。

「わかりやすい情報」の危険性

日本でも、2017年に作家の百田尚樹(ひゃくたなおき)氏が一橋(ひとつばし)大学で講演を直前にキャンセルされるという出来事がありましたが、アメリカでもこうしたことは日常茶飯事です。大学のほとんどはリベラル系の学者に支配されていて、保守的な主張をしている学者は肩身が狭いといいます。
麗澤(れいたく)大学准教授のジェイソン・モーガン氏は、保守的な主張を持つ日本史の研究者ですが、いわゆる従軍慰安婦問題において保守的な発言をしただけで、アメリカでは大学にいられない雰囲気があり、自分の考えを曲げずに研究活動を続けるためには日本に来るしかなかったと言います。

個々の研究者が独自の考えを持つことが悪いのではなく、むしろ当然です。しかし、自分と考えが異なる研究者を排斥するようなことがあっていいはずがありません。リベラル派はさかんに民主主義を掲げますが、私は彼らがしていることがそもそも反民主主義的だと思えてなりません。拒否や排除は民主主義から最も遠い存在です。

そして、別の観点でとらえれば、彼らはもともと民主主義者ではないにもかかわらず、「民主主義」という耳に心地いい言葉を使って対抗勢力を攻撃していると見ることもできるでしょう。これも、トゥンベリさんと同じく「徳の言葉」と呼ばれるプロパガンダの手法です。

ただ、同時に私が非常に不思議に思うことがあります。近年、アメリカの大学も、そして日本の大学も似たような状態だと思いますが、教員が偏向しているわりに、実際に卒業した若い人たちは、意外と保守的なのです。あるいは、世代別に見ると、若い人ほど保守的と見ることもできるでしょう。これにはインターネットの普及が大きな役割を果たしているのではないかと思うのです。

かつて、学校の先生が言うことは「絶対」でした。これは、先生が学生や生徒に君臨しているというより、信じられそうな情報が先生から伝わってくるだけなので、素直に信じてしまうのです。

しかし、いまは明らかに違います。少しでも先生の発言に疑問を感じたなら、手元のスマートフォンで検索してみればいいのです。浅いウソならすぐにわかりますし、多少手の込んだプロパガンダまがいの授業であっても、全面的に信じてしまうことなく、ほかの可能性を見いだせるはずです。てのひらのなかに、先生の何倍もくわしい人がたくさんいて、いくらでも情報を探れるわけです。いきなり日教組に染められるリスク、リベラル派に毒されるリスクは格段に減っています。

私は、こうした若い人たちの「習慣」を、大人こそが見習うべきだと思います。彼らはなんらかの情報を受け取ったあともすぐ鵜呑みにしないからです。これは、情報を得る際、受け止める際に「手を抜かない」「楽をしない」「人に依存しない」ことと同じなのではないでしょうか。

最後に生き残るのは「独学」ができる人

少々お説教臭くなりますが、私は日本でも長いあいだ言われている「生涯学習」という言葉の本当の大切さは、こういうところに隠されているのではないかと思います。決してリタイアしたお年寄りのためのものではありません。

とくに、かつては終身雇用が当たり前だった日本では、企業を渡り歩くことがあっても、職種そのものを変える転職はまれでした。いまでは決してめずらしくありませんし、AI(人工知能)に象徴される産業構造の変化で職種そのものが消え去ってしまうことも考えておかなければなりません。そんなとき、生き残れるのは、みずから疑い、問題を発見し、他人に頼らず、自分で学び取れる人です。

とてもおもしろい映画があります。「ドリーム」(邦題)という作品で、原題、原作は"Hidden Figures"といいます。ぜひとも見ていただきたいと思います。

宇宙開発競争でソ連に後れを取っていた1960年代はじめのアメリカが舞台で、NA

SA（米航空宇宙局）のラングレー研究所で計算係として働いていた黒人女性のキャサリンたちの集団が、IBMの大きなコンピュータの導入によって職を失うことになります。当時は、白人とは別の建物で働かなければならなかった時代です。

彼女たちは職を失う危機を感じ取り、図書館から資料を借り出して、フォートランという当時のコンピュータ言語を学ぼうとします。しかし、黒人だからという理由で貸してくれません。当時、黒人はコンピュータ・エンジニアにはなれなかったのです。

映画は、そんな彼女たちが苦心してプログラムを学ぶ様子を描いているわけですが、私は、日本人にはなかなか想像できない人種差別という要素をあえて除いて、絶対に逆らえない世の中の変化に対する感覚の大切さを再確認できました。

ある意味、私も弁護士として日本にやってきて、タレントとしての活動は、いわば「アルバイト」として始めたわけですが、あるとき、決断してタレント業をメインに据えることにした経験があるため、とても共感できるのです。ひとりの人生において大きなチャンスがめぐってくるのは2、3回程度でしょう。そのとき、それがチャンスだと感じられないような人、正しい情報とインチキな情報を見分けられるかどうかの能力がなければ、きっと簡単にプロパガンダの餌食になってしまうはずです。

情報収集機関とプロパガンダ発信機関の必要性

国単位におけるプロパガンダの防御も大変重要なテーマです。というのも、隔絶された島国で文化的な変化も少なかった日本は、さらに敗戦以降の歴史的経緯も加わり、残念ながらしっかりした情報収集機関もなければ、プロパガンダ発信機関もありません。

したがって、第三国がウソの情報を流布したときに、国として、どの機関が、どう対抗するのか、じつに不安な状況になってしまっています。その一端がＰＲＣや韓国との関係、あるいは沖縄における ひどい状況です。日本に不利な状況を生み、放置してしまっている可能性をもっと考えたほうがいいでしょう。これは非常に重い課題です。

日本の対応のまずさをひと言で言えば、真面目で誠実すぎ、性善説に支配されているために、プロパガンダにも正直に「対応」しすぎてしまっていることです。

ＰＲＣや韓国が何かを言ってきます。いわれのないこと、すでに終わったことを国際社会に宣伝してきます。その際、日本はひたすら我慢したあげく、正義が勝つことを信じて、きわめて真面目に、正直に真実だけを語ろうとします。それで勝てると思っているのは、残念ながら日本だけで通じる話です。プロパガンダは先に仕掛けたほうが絶対に有利だからです。「20万人の慰安婦が銃で脅され、連れ去られた」「１５０万人の朝鮮人が強制労働させられた」「南京（ナンキン）で30万人の罪なき市民が虐殺された」というストーリーはウソです。しかし、何もアジアの歴史を知らない人に、こうしたウソを何度も吹き込めば、やがて相手の頭のなかでそんなウソが真実として成立してしまうのです。これはきれいごとでは決して解決できない現実です。

日本はとにかく正直です。「慰安婦」問題でも「徴用工」問題でもとにかくまず謝ってしまいました。証拠がないなら謝罪すべきではなかったのに、否定できる証拠がないというだけでとりあえず頭を下げてしまいます。そこを利用され、どんどんつけ込まれてしまうのです。

日本がプロパガンダで不利を被った最もわかりやすい例は、かつて五千円札の肖像だった新渡戸稲造（にとべいなぞう）が英語で書いた『武士道』が誤ったイメージに利用され、戦後の日本統治にも影響をおよぼしかねなかったというものです。

『武士道』は武士の恐ろしさを描いたわけではありません。西洋化していく日本で、受け継がれてきた武士道の伝統とは何かを英語で紹介したもので、誇り高く、平和を愛し、高潔な日本人の姿を広く紹介しました。これを読んで感動したのがアメリカのセオドア・ルーズベルト元大統領です。

一方、反対に利用したのが当時のＰＲＣです。『武士道』を逆読みし、日本には１０００年も前から軍国主義が浸透して、つねに戦争をしてないと気が済まない、野蛮で好戦的な民族の自画自賛であるというプロパガンダに用いました。日本は対抗しなかったため、時間をかけてやがてはアメリカ政府の公式見解になってしまいます。そして、敗戦後の占領政策の基本になってしまったわけです。

実際に戦争をした直後ということもありますが、１９４５年当時から見ても、『武士道』は50年近く前の「古典」です。にもかかわらず、古いプロパガンダが常識と化し、アメリカだけではなく全世界が、日本をつぶしてしまうべき野蛮な国であって、近代化以前の農業国に戻してしまおうとさえ考えていたわけです。ところが、日本にやってきたダグラス・マッカーサー連合国軍最高司令官は、ごく短期間にこれが間違いであることに気づきました。

昔の話だと言ってはいられません。アメリカで中国共産党の組織が主導している慰安婦像の設立では、つねに彼らがプロパガンダをまき散らし、日本側があとから火消しに回っています。本来であれば、むしろ先回りして彼らの動きに流されないよう、しっかりロビー活動をすべきなのです。

日本にも必要な「ロビー活動」

プロパガンダを有効に行うには、情報収集と情報発信という2つの側面があり、両者は異なる組織で行われることが一般的です。アメリカで情報収集を担っているのはインテリジェンス・コミュニティーです。有名なCIA（中央情報局）をはじめ、情報の種類によって合計17の機関で構成されています。日本では各省庁でバラバラになっています。自衛隊、警察、公安調査庁、内閣などがありますが、統一されていないことが問題視されていますし、そもそも規模がまったく国の大きさに合っていません。一元的に情報収集を行う機関をつくり、アメリカをはじめとする友好国の機関とも情報交換を行うべきです。およそ500億円ないし1000億円規模が妥当だと思います。

ロビーを行う際には、事前にしっかり情報を集めて初めて何をすべきかがわかります。日本では、軍事衛星を持っていない韓国がGSOMIAを破棄する、しないで押し問答している様子を冷ややかに見ていますが、残念ながら情報収集機関を持たない日本も、衛星がない韓国を笑えません。同時に、海外情報機関のスパイを防止する法制も必要です。

私は、日本が国家的なプロパガンダ発信機関もしっかりつくるべきだと思います。日本の国益として堂々と発信、主張することが大切です。情報発信機関、つまり宣伝機関が必要になります。これも５００億円程度の予算が必要でしょう。

それに加えて、この段階では、アメリカに優秀な専門企業がありますので、まずはロビーも含め、彼らを頼るべきでしょう。日本では、どうしてもロビー活動というと否定的にとらえられてしまうことが少なくありません。しかし、プロパガンダに対抗していくうえで、そしてあらかじめその動きを最小化しておくために、ロビー活動は大きな役割を果たします。ロビー活動とは、自分たちの考え方を力がある人たちに知らせることを指します。まったく悪く考える必要はありませんし、卑怯なことでもありません。

アメリカでは公然と行われているロビイストの情報戦略

ロビー会社を頼ることを、アメリカではなんら問題だと考えてはいません。裁判の際に

弁護士に、広告宣伝を広告代理店に依頼することと同じだからです。財力によって自分の主張を押し通すというイメージは古くさく、不正確で、本当のロビー企業は登録制になっているのです。

ロビー活動における記録も公開されています。安倍総理がアメリカ議会で演説をしたことがありました。当時、韓国がアメリカのロビー会社を雇い、慰安婦問題についてのひどい資料を用意して議員全員に配布しようとしたところ、日本もアメリカのロビイストを雇い、その資料の信憑性を疑う情報を先回りして流しています。

こうした状況において、韓国側は誰を使い、日本が誰を使ったのか、どのような内容を依頼し、いくら払ったのか、すべてあとから確認することができるわけです。なぜなら、ロビーが登録事業で、公表されているからです。

ロビー活動の一環でセミナーを開いたり、有力者と食事をしながら資料を渡したりすることもありますが、これらも同様に公開されています。じつにフェアなのです。

テクニックはいくらでもロビー会社が持っています。日韓のロビー合戦で言えば、結局は両国の事情に関与していない第三国の良識ある人たちが、どちらの主張をより合理的で、正しいと考えるかにかかっています。ここで、もし韓国のひどい主張ばかりがロビーされていたらどうなるでしょうか？　片方からしか情報が伝わらなければ、ウソもいつか本当だと考える人が出てきてしまいます。

緊急課題なのに、間に合いそうにありません。放送やインターネットを使った宣伝もさかんに行わなければなりません。ですから、同時に、マスコミを使った宣伝はどの国も行っていることで、すでに述べたとおり、アメリカがつくった「ラジオ・フリー・ヨーロッパ」は冷戦に勝つために重要な役割を果たしました。日本はＰＲＣや韓国に対して、堂々と自由主義と人々の幸福について、そして日本がこれまで世界に対して果たしてきた責任や今後のビジョンについて、さらにＰＲＣや韓国のプロパガンダに反論し、先回りして、国際世論が騙されないようにするための情報を、積極的に放送などで発信していく必要があります。

ＮＨＫには「NHK WORLD-JAPAN」というチャンネルがあり、衛星放送やラジオなどで配信してはいますが、残念ながら内容はまったく満足できるものではありません。ＰＲＣや韓国をはじめとするプロパガンダに長けた国は、ソフトなコンテンツも活用しながら国益を最大化するために宣伝を行っています。日本も海外のロビー企業とよく組み、アニメや音楽、映画などもフル活用しながら日本を宣伝すべきです。せっかく多様なコンテンツを持っているのに非常にもったいない話ですし、そもそも海外にはこうした日本のコンテンツを日本の作品として認識していない子どもも多数います。

少し厳しい言い方をしましょう。日本人はあることないことを騒ぎ立てるＰＲＣや韓国を白い目で見ていますし、トランプ大統領を評して、記者会見をせずにツイッターばかりしているとバカにしたりもします。しかし、私はむしろ日本のほうがおかしいと感じます。発信していないことがどれだけ大きなリスクになっているのか、プロパガンダされ放題になっているかを認識すべきです。自国に不利なニュースは即刻遮断し、気に入らない記者は追い出し、スパイとして逮捕するＰＲＣをただ恐ろしい国として見ているだけでは、決して日本がＰＲＣに情報戦で勝てる日は来ないでしょう。

残念ながら、外務省に任せるわけにいきません。もちろん外務省の人間がプロパガンダを理解し、使い方、見分け方を知る必要がありますが、彼らの仕事と、ここで話していることは根本的に違います。

プロパガンダを見破れる人はビジネスでも成功できる

少しスケールが大きな話になってしまいました。最後にもう一度、私たち個人の話に戻しましょう。

先ほども少し述べましたが、じつはプロパガンダの内容を学び、自分が染められないように気をつけることは、ビジネスを起こし、富を築くこととほとんど同じです。プロパガンダについて知りたくてこの本をここまで読んできたのに、億万長者にもなれるとしたら最高ですね（笑）。

どういうことか説明しましょう。お金持ちになりたい場合、順番にすべきことをシンプルにまとめると、たとえば次のようになります。

◎お金のことをよく知る
◎自分自身のことをよく知る
◎お金儲けの方法を複数調べる

◎成功者の話を素直に聞く
◎「自称成功者」のウソを見抜く
◎自分に合った方法を選ぶ
◎お金儲けにチャレンジする
◎何度か失敗してもあきらめない

お金と自分自身のことをよく知る。ビジネスの方法を複数調べ、情報を仕入れる。成功者の話を素直に聞き、「自称成功者」のウソは除外しながら、そのなかで自分に合った方法を試す。この繰り返しです。

これは、驚くほどプロパガンダへの対処法や取り組み方と似ているのです。

情報をよく知り、自分自身のことも知っておく。プロパガンダの手法を複数調べ、うまくプロパガンダしている人の例を見ながら、騙されていないかどうかもしっかり見抜く。そのうえで、自分に合ったプロパガンダを試し、何回か失敗してもトライを繰り返すことで上達していくわけです。

自分のことをよく知らずにやみくもにお金儲けしてもうまくいかないように、自分も含めた状況を客観的にとらえられない人は、プロパガンダに引っかかりやすくなります。お金儲けをしたい人がえてして「自称成功者」のビジネスに引っかかり、まんまと損をしてしまうのとよく似ています。

プロパガンダに引っかかりにくい人は、結果として良い情報を仕入れ、悪い情報を捨てられます。持っている情報の質が上がるため、成功の確率が高くなるわけです。

第5章

徹底解説！「7つの手法」と「67の洗脳テクニック」

世界標準のプロパガンダ・テクニックが共有できていない日本人

最後の章では、プロパガンダの具体的なテクニックを、可能なかぎり一つひとつ詳細に見ていくことにしましょう。なかにはほとんど説明の必要がないものもありますが、多くは非常に興味深く、個人的にも役立つ事例が見つかります。

私は高校で弁論部、大学では政治学、大学院では法律を勉強しました。そして弁護士として就職しました。それぞれの大きな共通点は、成功するのに高度なコミュニケーションのスキルが必要不可欠だということです。自分の考えを伝えるだけではなく、相手の共感を得なければなりません。

人の心を動かす訓練をしました。たとえば法科大学院では、朝の授業の最中に、その日に勉強している代表的な判例とその推理をほかの学生の前で発表します。そのプレゼンテーションが収録されて、午後からは先生と一緒に見て、批評してもらいます。

当然、内容を正確に、わかりやすく、論理的に説明したかどうかが判断基準になりますが、比較的簡単に合格できます。

しかし、それ以外に、プレゼンテーションの一部として、自分がこの判決の論理や社会に対する影響についてどう思うのか、自分の意見を述べなければなりません。説得力があったかどうかは、じつにクリアしにくい厳しいハードルです。

それ以外に、先生は話し方、表情、姿勢、ジェスチャー、目線、声の抑揚、態度などを厳しく評価します。私の場合、いちばんよく言われたことは、「お前の目は細いので、もっと目を大きく開いて話さなければ、誰もお前の言うことを信じませんよ」。それから気づきましたが、アメリカのテレビのニュースを見ていると、アナウンサーがみんな額にしわを寄せて、目を大きく開いて話しています。実際に目のことを考えてプレゼンテーションすると混乱するので、考えなくても、自然とそのような表情になることを練習しました。

就職して3年目に、マスコミ業界に飛び込みました。そこで、さらなる課題が出てきます。相手を楽しませなければならないということです。じつに楽しい仕事なので、これはそれほど苦しみませんでした。

こういうこともあって、昔から「人の心を動かす技術」を人生のひとつのテーマにしてきました。

人の心を動かすことこそ、プロパガンダの最大の目的です。

プロパガンダがわからないので騙された人、まともなプレゼンができない人、交渉できない人、人間関係がうまくいかない人、せっかく生まれつき持っている才能を伸ばせない人、そして外交に失敗する国を見るたびに、悲しくなると同時に、その情報を伝えたくなります。そこで今回この本を書くことにしました。

プロパガンダの「7つの手法」

2012年1月1日に亡くなったHenry Conservaはサンフランシスコの中学校の先生でした。自身の著書で、プロパガンダのテクニックを7つのカテゴリーに分類しました。

本書では英語版ウィキペディアに掲載されている67のプロパガンダのテクニックを、これらの7つのカテゴリーに分けて説明しようと思います。

この本は、一度読み終えたあとも、長く本棚に置いておくことをおすすめします。何か気づきがあったらすぐにこの章で紹介するテクニックの項目を読み返してほしいからです。

こうした行動の積み重ねが、悪いプロパガンダに騙されない自分、有害なプロパガンダが通用しにくい日本、そしていい意味でプロパガンダを使いこなせる国や国民をつくるファーストステップになります。

それでは、さっそくプロパガンダ・テクニックの世界に入ってみましょう。

❶ 論理的な誤謬（ごびゅう） Logical Fallacies

白黒の誤謬、論理上因果関係のない選択肢、二者択一 Black-and-white fallacy

本来、よく考えれば二者択一ではないにもかかわらず、「イエスかノーか」「白か黒か」「味方なのか敵なのか」などという、二択での判断を押しつけることによって、ほかから目をそらさせるテクニックです。「買うか、買わないか」をいま決断するように迫るセールストークは、「一度よく考えて判断する」という選択肢をわざと見せないようにしています。本当は、そのほかの要素もあるわけです。

かつて小泉純一郎（こいずみじゅんいちろう）元総理は、郵政改革など「内閣の方針に反対する勢力はすべて抵抗勢力」と言い切りましたが、これも同様です。改革を志向しながらも郵政民営化には反対、という存在をはじめから除外し、踏み絵を迫って単純化しています。

日常生活でも、こんなかたちで使われます。

「近いうちに会いたいんだけど、来週火曜か水曜、どっちなら空いている？」

「火曜日は空いていますか？」とだけ言われたら、空いていないと簡単にウソがつけますが、同時に2つのウソをつくことは難しい。こう言われてしまうと、頭のなかは、火曜と水曜の予定について、あるいは予定がいっぱいならどうやってずらすかを考え始めます。つまり、このどちらかを選ばなければならないと思ってしまいます。本来なら「私は会いたくない」「どちらも空いていないから、もっとあとにしてほしい」という選択肢もあるはずです。

認知的不協和、矛盾する認知を同時に抱えるCognitive dissonance

社会心理学でもよく取り上げられるシチュエーションです。矛盾する認知を同時に抱えるとは、わかりやすく言えば「悪いとわかっているのにしてしまう」ときに感じる感情で、典型例はたばこを吸っている人の「言い訳」です。

「たばこなんてやめなさいよ、健康によくないよ」

「どうせ長生きしてもしかたないから、たばこを吸って国に税金を納めるんだ！」

本人もたばこの害はわかっているのに、やめられません。そこで、別の理屈をつけて自分がしていることを正しいことだと統一したくなるわけです。つまり、矛盾する認知を同時に抱える精神的苦痛を緩和するために、「正当化」します。

プロパガンダとしては、こんな例が考えられます。自分の考えとまったく違う立候補者がいますが、自分が大好きなシンガーソングライターがその候補を応援しています。本来なら自分自身の政治信条によって投票すればいいだけなのに、どうしてもその歌手を裏切るような気持ちになってしまいます。彼の歌詞の世界観によって、自分が影響を受けているからです。

そこで、「いままで私が無知だった」とか、その歌手のおかげで「新しい価値観を知った」などと理由をつけ、本来は支持していない候補者を応援することを自分に納得させるよう考え始めます。政治家や政党、プロパガンダを仕掛けてくる側はこれをよくわかっていますから、忠誠度の高いファンを持っている、イメージのいい芸能人を取り込むことに熱心です。ヒラリー・クリントン氏への支持を明確にしたビヨンセ、トランプ大統領を批判したテイラー・スウィフトなどは、そのわかりやすい例です。これはあとで述べる「ビューティフル・ピープル」というテクニックとも通じています。

誇張 Exaggeration

文字どおりの誇張です。なんでも大げさに、日本風に言えば大風呂敷を広げてイメージづけするテクニックです。最近の日本語で言えば「盛る」というのでしょうか。お寿司を20皿も食べちゃったよ、と大げさに言ったけれども実際は8皿だった、などというのはよくある話です。釣った魚の大きさを自慢するときは、話を繰り返すたびに大きくなってしまいます。この例から、誇張を英語で「fishtale」（釣った魚の大げさな自慢話）とも言います。

宣伝の世界ではセールストークによく見られるテクニックです。悪質な場合、薬事法を無視して「このクリームを塗れば、顔のしわやたるみがたった2分でなくなりますよ」や、「このサプリを飲めば、がんが治りますよ」と言う場合があります。誇張がここまでくると、むしろ「ウソ」、あるいは「法律違反」になります。

とくに目立つのは、数字がひとり歩きすることです。伝言ゲームのように「多くの愛用者がいます」が次第に「何百万人」になり、「1000万人」になっていきます。投資話では、「ある一日だけで50万円儲かった」が次第に「絶対一日で50万円儲かりますよ！」

に変わり、最後に「一日500万円」になったりします。

このテクニックを使っているのは、本書でも述べた「慰安婦」や「徴用工」、そして南京で虐殺されたという人の人数です。「慰安婦」はいましたが、いつのまに「従軍慰安婦」に変わり、その数も、最初は2万人と言っていたのが次第に20万人になりました。しかも、娼婦だったのが、いつのまに「性奴隷」という言い方に変わりました。南京では、戦争なので当時は人が亡くなりました。しかし、誇張することによって「大虐殺」と言われるようになって、その人数も当時の南京の全人口より多い数字を主張するようになりました。このように、主張はまったく異なる意味を持つようになります。日本がいくら認めて謝罪しても、さらに誇張した数字を出して、それを認めろと迫ることができるわけです。

最小化 Minimization

誇張のちょうど反対が、最小化です。何か不都合なことが起きた際など、「そんなにたいしたことではない」とか、「レアケースだ」などと意味づけることで、起きたこと自体は否定せずに事実上、正当化できるテクニックです。

生活に当てはめればこんな例が考えられます。朝に出さなければならないゴミを深夜に出したことを注意された際、むしろ「逆ギレ」して、「だから、なんなのだ」とか、「いま出そうと朝7時に出そうと大差ないじゃないか。あなたにどんな不都合があるのか？」とやり返して正当化するわけです。

不合理な推論 Non sequitur

一見、論理的な論理のようでいて、よく考えればまったく誤っていることを押し通すテクニックです。

たとえば、「憲法第9条を変えれば戦争になる」という論理が典型です。私の政治的な立場は置いておくとして、現在の日本国憲法第9条が条文として存在しているかどうかは、戦争の発生になんら影響をおよぼしません。日本が改憲するかどうかに関係なく、戦争の可能性は存在します。それは「相手方」、つまり日本国憲法に縛られていない外国政府やテロ集団の問題だからです。憲法第9条を変えることが、戦争の可能性を高めるか低めるかは、どう変えるか、変えた結果、軍備や安全保障体制がどうなるかに依存しているだけです。

同じようなプロパガンダはよく聞かれます。「消費税率を上げなければ年金は崩壊する」というのも同じでしょう。そもそも年金制度の「崩壊」をどう定義するかがあいまいですし、年金制度がいまより悪くなるかどうかはあくまで財源と支給のバランスで決まるものであって、消費税率を上げるかどうかと直接は関係ありません。不景気のなかで税率を上げるより、景気をよくして税収を増やすこと、年金運用の利益を最大化することのほうが大切なはずですが、一見、論理的に見える誤った考えによって、簡単に忘れられてしまいます。

過度の単純化 Oversimplification

本当は複雑のものなのに、「超」単純化して説明しようとするテクニックです。「超」とつけることには、このような意味があります。

カリフォルニア州には多くのホームレスがいます。これは外を歩けば実際に目にする現象ですから、否定はできません。

ところが、ある政治勢力は「ホームレスが増えているのは住宅価格や家賃が高いからだ」と主張します。たしかにアメリカの住宅価格は上昇する一方ですし、そのなかでもカリフォルニアでは非常に高くなっています。

カリフォルニアの住宅価格が高い理由はいろいろあります。所得水準が高い、建築基準が厳しい、手続きが複雑で供給が増えない……などなど、いくらでも説明はできるのですが、じつはホームレスの多くは精神障害やドラッグ常習の問題を抱えていて働けません。住宅価格が多少安くなっても、彼らは、おそらくホームレスを脱することはできないでしょう。

つまり、住宅価格の問題を取り上げることで利益が期待できる人が、自分のためにホームレス問題を利用しているだけです。本当にホームレスを助けたいのなら、シェルターをつくったり治療プログラムを充実させたりするほうが重要で、住宅価格はそれほど関係ないのです。

同じような「超」単純化の例はいくらでも見つかります。「子どもの勉強ができないのは先生のせいだ」「子どもが減るのは所得が低いからだ」「停電が復旧しないのは安倍政権のせいだ」といった単純化を耳にしたら、なんのせいにしたいか、から逆算してみると、どのような立場の人が発しているプロパガンダなのか考えやすくなるでしょう。

レッドへリング（燻製ニシンの虚偽）、論点の混同 Red herring

「レッドヘリング」とは、「（赤い）燻製のニシン」を意味します。燻製のニシンは強い匂いを発し、嗅覚（とくに猟犬の）を混乱させるのですが、推理小説などで、読者の謎解きの感覚をかき乱し、注意をそらすためのウソの手がかりのようなものを、英語で「レッドヘリング」と呼ぶわけです。

つまり、わざと注目を引くような話題や素材を提示し、論点をずらさせたり、混同させたりするテクニックです。

たとえば、脳死と臓器移植の問題は、かつて日本の国会で大きな問題になりました。脳死が死なのかどうかという倫理的、宗教的なポイントで議論が進まなかったからです。しかし、本当は、脳死が死かどうかより、患者本人が「自分が脳死になったときに臓器を提供したいかどうか」が移植のポイントのはずです。私はテレビで「同意書さえあれば十分で、アメリカでも脳死が死かどうか決まっていない州ですら脳死状態での移植を認めている」と述べたところ、国会での議論が変わった手応えがありました。「脳死が死かどうか」は重いテーマですが、臓器移植とはまったく別の問題です。

トランプ大統領のロシアゲートも同じです。あれこれ関係がない、しかし「匂いの強い」話題を出して、ミックスし始めます。モリカケ問題も同様です。

憲法第9条改正が子どもの徴兵につながる、というプロパガンダのために、たとえば他国でゲリラとして戦っている少年の話を持ち出すのもこの手法です。戦争に駆り出される少年は気の毒ですが、日本の憲法改正とは本来、何も関係がありません。

❷ 話を脇にそらす、ごまかす Diversion and Evasion

ギッシュ・ギャロップ Gish gallop

ギッシュとは人の名前で、ギャロップは馬などの「駆け足」のことです。これはどういうことかというと、どうでもいい、枝葉の話をどんどん繰り出して相手を貶め、黙らせておいて、自分の主張を連発する戦術を指しています。

アメリカのディベート、とくに選挙では、こうした光景が当たり前です。とにかく対立候補の口を封じたくて、どんどん質問をぶつけ、揚げ足を取ろうと試みます。その質問が本当に大切な争点なのかは関係ありません。質問をされた相手を面食らわせたり、つまらないミスを誘い出したりすることが目的だからです。とくに生中継されている場合は大きな効果が得られます。ジョージ・W・ブッシュ元大統領（子）が、大統領候補のディベートの際に記者から「パキスタンの大統領の名前は？」と問われ、答えられなかったことを利用されたのが典型例です。

これを日本で上手に活用している政治家がいます。「国会のクイズ王」という別名で呼ばれている小西洋之参議院議員です。安倍総理に対して、憲法改正を試みているなら「法の支配」の対義語を答えよ、とか、憲法において「包括的な人権規定」と言われる条文は第何条か、などと通告なしに迫り、そのあとは自説をまくし立てます。そんなクイズに答えられるかどうかは本来関係ありませんが、テレビで見ている一般の有権者は、どうしても安倍総理が小さく、つまらないものに見えてしまいます。反対に小西議員は「こんなことも知らないのか、それなら私が教えてあげよう」と出しゃばって、さも格上のようにふるまいながら自説を述べ、聴衆を納得させようと試みるわけです。

光り輝く総論 Glittering generalities

さも立派で、感情を揺さぶる美しい主張ではあるものの、根拠が示されてない、あるいは具体策が薄い議論を指します。これは、政権や与党を責め立てる際の野党の手法としてよく使われますし、この本でも見てきたとおり、本来の目的をうまく隠している組織が、大衆の感情を引きつけるために有効なテクニックです。

とてもよくわかりやすい例が「平和」とか「平和主義」、あるいは「戦争のない世の中をつくろう」などというフレーズです。まさに「光り輝く総論」そのもので、表面上はいちいちそのとおりです。平和が嫌いな人などよほどおかしな人ですが、じつは「平和」とは客観的な意味がなく、法律用語でもありません。言った本人の主観にすぎません。

日本の例で言えば、日本共産党や立憲民主党、あるいはそれらを支持する勢力は、さかんに「平和」の重要さを訴えてきます。その美しくも総論的な主張は、彼ら自身がそれをどう達成するかという議論をうまくすり抜け、政権があたかも「平和」を好んでいない、戦争をしたいと思っているかのようにイメージづけるために使われます。そして、その具体的根拠も示しません。

アメリカでもさかんにこの手法は使われます。民主党は「メディケア・フォー・オール（公的皆医療保険制度をすべての国民に）」というフレーズを使って訴え、反対する共和党を「貧しい人の健康を軽視している」と責め立てます。しかし、メディケア・フォー・オールを実現するための財源についてはあまり触れませんし、話が増税に結びつきそうになると議論を避けます。現実的に多くのアメリカ人は民間の医療保険に入っていて、企業や自分自身で保険料を払っているため、わざわざ税負担を増やして、なぜ他人の健康保険を充実しなければならないのか、簡単には納得できません。

こうした「光り輝く総論」ですが、争いごと以外でも活用されていますし、じつは身近なものです。公明党はあまり際立った政策目標を掲げませんが、その代わりスローガンは「光り輝く総論」的になります。いま、この原稿を書いている2020年1月にポスターやホームページを見ると「小さな声を、聴く力。」と書いてあります。小さな声を聴くことは悪いことではありません。しかし、それがどんな声で、どのような政策に結びつける考えなのかは何も語っていません。その少し前には「希望が、ゆきわたる国へ。」というスローガンもありました。これは希望の党（国民民主党の前身のひとつ）を助けているように受け取られかねないという理由で変更されましたが、やはり希望がゆきわたること自体に反対する人はいません。問題は、その希望がどのような内容なのかです。

こうした例は挙げればきりがありません。「支え合ってつくろう　輝くふるさと○○市」とか、「安全安心　笑顔のあふれる未来都市　○○市」のようなフレーズは、だいたいどこの自治体にもつきものですが、これもまた、何かを言っているようで何も言っていません。そして、企業もたいがい、この種のスローガンやメッセージを持っています。つまり、宣伝やイメージづくりに有効なのです。あとで述べる「徳の言葉」でも取り上げますが、こうした際によく使われるのが、夢、希望、未来、愛、平和、笑顔……などといった、誰にも反対しようがないフレーズです。そうしたキーワードを見かけたら、むしろプロパガンダを警戒したほうがいいでしょう。

意図的なあいまいさ Intentional vagueness

わざと答えなかったり、意図に答えをぼかしたりするテクニックです。「増税するのか？」「解散するのか？」という問いに対して、「いや、まあ、それはいずれしかるべき時期が来れば……」と答えておくと、あいまいさから発する憶測を自分に有利なかたちで温存することができます。

聞く側からすれば、これはどのようにも解釈することができてしまいます。確証が得られないなかで、みずから考え、リスクを取って行動しなければならなくなります。その解釈が間違っていたとしても、相手側のあいまいさを責めるわけにはいきません。もちろん明らかな虚偽の場合は別ですが、「それはあなたが勝手にそうとらえただけだ」と言われてしまえば、どうしようもありません。

国会における、内閣や官僚の答弁にもこうしたテクニックはよく使われています。言質(げんち)を取られないよう、できるかぎりあいまいにしておくことが求められますし、質問する側はそこをいかに責めるかが腕の見せ所です。しかし、「さまざまなご意見があることを真摯に受け止めてまいります」とか、「しかるべき時期が来たら善処します」などと、あいまいに処理していくわけです。

これは政治や行政の世界だけで行われているわけではありません。外国人である私の目には、日本人のほとんどが「意図的なあいまいさ」を頻繁に使っていると映ります。

その典型例は「頑張ります！」という返事です。子どもから大人まで、あちこちで使われていますが、非常にあいまいではありませんか。ちょっと頑張っても、たくさん頑張っても「頑張ります！」という返事と矛盾しませんし、そもそも「頑張ります！」は正確に言えば「頑張ってやってみようという気持ちはあります、姿勢は持っています」程度の意味でしかないため、頑張らなかったとしても、じつは決して矛盾しません。私は、この「頑張ります！」という言葉をうまく英語に訳せません（笑）。

また、理由を説明したくないときに、「できません」と言い切ります。私は意地悪して「どうしてですか？」と聞くと、「決まっているからだ」と答えてきます。大半の人は、これで納得するから驚きです。私が「何が不都合ですか」とさらに責めると、理由がわかって納得する場合もあり、納得しない場合もありますが、少なくともそれからの対処のしかたの参考になります。おおむね、私は「できません」というのは「したくない」という意味だと解釈しています。

レッテル貼り Labeling

レッテル貼りという言葉は広く知られていますし、英語でも同じ意味です。アメリカの草創期にイギリスから渡ってきたピルグリム（イギリスからやってきた清教徒）の社会では、未婚で妊娠した女性にそれとわかる「A」（Adulteress＝姦婦）という赤い記号を貼りつけ、露骨に差別をしたといいます。これはフレーズではなく、文字どおりのレッテル貼りです。ナサニエル・ホーソーンによって執筆され、1850年に出版されたアメリカのゴシックロマン小説『緋文字』（邦訳・新潮文庫）がこの事態を描いたもので、私たちは必ず学校で読ませられました。だから、私たちはレッテル貼りをすぐに認識しますし、露骨で原始的なプロパガンダ手法というイメージを持っています。

日本でもこのテクニックは広く使われていますし、私自身もすでに攻撃の対象になっています。

「ケントはネトウヨだ」「○○議員は在日だ」「安倍は歴史修正主義者だ」「××教授はヒ

トラーだ」「自衛隊は人殺しだ」……などなど、さすがに背中に記号は貼られませんが、いくらでも例は挙げられます。短い言葉で見る人の考えを固定化し、その一点で相手を攻撃するのです。キレがよくて、短く、力強いフレーズだと、より効果があります。反対に「パヨク」とか「フェイクニュースだ」という言い方もまた、レッテル貼りの例です。

作家の百田尚樹氏の一橋大学での講演「現代社会におけるマスコミのあり方」が中止されたとき、「反レイシズム情報センター」なる団体は、百田氏を「レイシスト」と決めつけました。そして、レイシストに講演をさせるわけにはいかない、レイシストの講演を止めるためならどのような抗議活動も正当化されるという態度を露骨に表し、圧力をかけて中止に追い込んだのです。「表現の自由」に対する恐るべき挑戦です。

同時に、日本国憲法を「平和憲法」と称するのも一種のレッテル貼りです。本来、憲法で国が守れるわけでも、平和が実現できるわけでもありません。いやみで言いたいのではなく、憲法はあくまでその国のなかだけで通用する決まりごとですし、実態としては、結局「たんなる紙切れ」（これもレッテル貼りですが）にすぎません。にもかかわらず、「平和憲法」というレッテルを貼っておけば、さも憲法が抑止力になっているかのような誤解を与えることができます。

トランプ大統領が北朝鮮の金正恩朝鮮労働党委員長を「リトル・ロケットマン」と呼んだり、韓国のマスコミが曺国前法務部長官を「タマネギ男」と呼んだりしたのも一種のレッテル貼りです。

また、もう少し手の込んだやり方もあります。芸能界ではよく使われていますが、上げて落とすというか、いい人に見せかけておいてレッテルを貼るとより効果的に使えるわけです。こう考えると、いい人に見せかける行為もレッテル貼りの一環です。

固定観念化、ネーム・コーリング、レッテル貼り Stereotyping, name calling or labeling

レッテル貼りは前の項で説明したとおりですが、固定観念化はやや違います。

ジョークの世界で、よく国ごとに固定観念化された性格を、沈没しそうな船の船長の台詞で表します。「アメリカ人を海に飛び込ませるには、『いま飛び込めばヒーローになれる』と言えばいい」「日本人を海に飛び込ませるには、『ほかの人はもうみんな飛び込んでいますよ』と言えばいい」といった類いのものですが、それがまさにステレオタイプ（固定観念）です。

これはプロパガンダに多用されます。かつてアメリカが日本への敵愾心や警戒心を煽るため、日本人像を描く際にはパターンがありました。黒い丸眼鏡をかけ、出っ歯で背が低く、目がくぼんでいる……といった人物像です。これによって、日本人を全体として弱々しく、あるいは狡猾（こうかつ）に見せることを意図していたわけです。

固定観念化とレッテル貼りを組み合わせると、簡単に言えばあだ名をつけることになります。一般的に親しみを込めて対象を呼ぶために用いられますが、ここでいうあだ名は相手をイメージ操作するために利用されるわけです。別の項目でもくわしく述べましょう。

もっとも、このテクニックはポジティブにも使うことができます。イギリスのマーガレット・サッチャー元首相は「鉄の女」と呼ばれましたが、これはむしろネーム・コーリングによってプラスになった好例です。

論点をすり替えて論破する Straw man

討論では非常によく見かけるテクニックです。質問に対する答えや、いまテーブルに上がっている論点が自分に不利なものだった場合、勝手に変えてしまい、関連性のない発言をしてくる手法です。

私の身近なところで言えば、東海（とうかい）大学の金慶珠（キムキョンジュ）教授がその典型でしょう。彼女に私や司会者が質問をしても、それに答えず違う内容の発言をしてくることがあります。もっとも、金教授にもいろいろと立場はあるのでしょう。個人的には好きです。

より典型的な例で言えば、現在は立憲民主党に所属する蓮舫参議院議員の二重国籍問題が挙げられます。蓮舫議員は選挙に立候補する際、二重国籍であることを結果的に明かさないままでいたため批判されました。しかし、記者会見では戸籍謄本の一部を公開することについて、「私を最後にしてほしい」と述べたのです。まるで蓮舫氏を責めている人たちはレイシストでもあるかのような言い方で驚きましたし、朝日新聞や毎日新聞などもこの論調に追随しました。しかし、当時、問題の焦点は二重国籍の人間は国会議員になれないというルールに蓮舫氏が触れていたかどうかであって、差別や排外主義とはなんら関係はありません。私には論点のすり替えによって批判を抑え込み、反対に批判し返すことによってみずからを正当化しようとするテクニックにしか見えませんでした。

「そっちこそどうなんだ」論法、水かけ論 Whataboutism

これもアメリカでは非常によく知られている手法です。「ワッタバウティズム」というひとつの単語になっていて、普段からニュースや討論番組を見ているアメリカ人であれば、

このひと言だけですぐ理解できるくらいです。
テクニックとしては文字どおりで、批判してきた相手に直接答えない代わりに、相手に対してまったく別の批判を持ち出して議論を泥沼化させるものです。「そんなこと言うけど、お前のほうだって○○じゃないか！」という反撃です。自分はいっさい答えず、攻守を入れ替えてしまうわけです。
すり替えの一種ですが、批判してくる相手をかわすタイミングで、むしろ相手の弱点を表に出すことで、してきた批判そのものを無力化します。論客であれば、誰もがこのテクニックを知っています。アメリカ人なら再反撃する際に「おい、そのワッタバウティズムはやめろ！」と言うでしょう。

❸ 感情に訴える Appealing to the Emotions

権威に訴える Appeal to authority

権威、あるいは肩書と言ってもいいでしょうが、なんらかの権威を背景に訴えられると、そのまま鵜呑みにしやすくなってしまいます。○○大学名誉教授という肩書を持っている人が言っていることは、まるで○○大学が保証してくれているように感じます。科学者を名乗る人が地球温暖化に対する人間の責任を述べたら、自分の存在がまるで悪いことのように思えてきます。これはすべて、権威がそう訴えているのです。

たとえば、2015年の安保法制のとき、小林節(こばやしせつ)・慶應義塾(けいおうぎじゅく)大学名誉教授が国会に参考人として呼ばれ、集団的自衛権の行使は憲法違反と断言しました。私はまったくそうは思いませんが、本題から外れますので内容は省きます。しかし、小林氏の名誉教授という肩書によって、その言動を信じてしまう人もいるわけです。ただ、よく考えなくてもわかることですが、名誉教授というのは、すでにリタイアしたかつての教授に与えられる称号にすぎず、慶大がその発言に権威を与えているわけではありません。

もっとひどい例もあります。本来ならその肩書とはいっさい関係のない内容についても、人々は肩書によってあっさり騙されてしまうのです。東大教授が「健康になった」と感想を述べた健康食品はまるで東大が推薦しているかのように感じられますし、日弁連が慰安婦を「性的奴隷」と決めつければ、正義のために戦っている弁護士全体がそう思っているように見えます。芥川賞作家が安倍政権を批判すれば、まるで文学界全体が批判しているかのように感じてしまう人もいるのです。さすがに芥川龍之介が批判していると感じる人は救いようがありませんが（笑）、本当はまったくそのようなことはありません。

プロパガンダを仕掛けてくる側もこの効果をよく知っていますから、肩書によって大衆を騙せそうな人を取り込むことが効果的なのです。

恐怖に訴える Appeal to fear

人々の恐怖心を刺激するのはプロパガンダの基本です。何度か紹介しているとおり、「憲法改正は徴兵制を現実化させ、あなたの子どもも大人になったら戦場に送られる」というのも、子を愛する親の恐怖心につけ込んだプロパガンダです。

このテクニックは日常にもあふれています。「がんになりたくなければこのサプリを飲みなさい」とか、「あなたが使っている歯磨き粉は何？　えっ？　こんなの使っているんですか！　これにはこんなに悪い成分が含まれていますから早くやめて、こっちの歯磨き粉を買いなさい」などという論法も、科学的な説明をいっさいせず、恐怖心を刺激してビジネスに結びつけようとしているものです。もっとも、「がんになりたくなければ……」という勧誘は薬事法に触れますので、その時点でアウトです。

豊洲市場を安全と安心というワードで翻弄した小池百合子東京都知事も、このテクニックの使い手でしょう。本来は危なくないのに、安心できないという理由で問題を複雑化し、旧築地市場のほうがよほど汚染されていたことがわかったら今度は危なくないと言い始めました。結局、小池都知事がしたかったのは、都民の恐怖心を利用して政治的に有利に立ちたかっただけだったのです。

ちなみに私は最近、恐怖心に訴えられてまんまと白旗を掲げてしまいました。クルマの定期点検に行ったところ、後ろのブレイク・ライトがおかしい、切れてはいないけれども溶けていると言うのです。私はランプさえつくのならそのままでいいといったん断ったのですが、整備の人と営業の人が、「このままでは火災になるリスクがある」と言うのです。

あっと言うまに恐怖心が刺激されてしまい、結局、その場で数万円を支払って取り替えることになってしまいました（笑）。でも、おそらく本当に危険だったと思います。

偏見に訴える Appeal to prejudice

訴える先は恐怖心だけではありません。大衆の偏見を刺激する、というテクニックもあります。煽る、と言ったほうがいいかもしれません。

攻撃したい相手を見下すように仕向けます。これは最近、左派勢力がよく使っている手法ですが、「〇〇だなんて、安倍政権はダサい、かっこ悪い」という切り口で攻めてくるケースが少なくありません。

本来、ダサいかダサくないかは受け止める人それぞれの考え方やセンスで異なっているはずですが、大声で「ダサい」「かっこ悪い」と言われてしまうと、自分も「ダサい」と思わなければいけないかのように考えてしまうのです。

最もいけない例は、人種や国籍によってあらゆる出来事に偏見を持ってしまうことです。これはむしろアメリカが本場で、どうしても白人至上主義が抜け切らない人たちがいます。これこそ本当のレイシズムでしょう。ＰＲＣに本社があるファーウェイの製品には別の問題がありますが、日本人が嫌いだからソニーは使わない、韓国人がいやだからサムスンなんて買ってはダメだ、という人は一定数存在します。彼らの偏見をうまく刺激すれば、簡単にプロパガンダで染められるでしょう。

昔、私は沖縄で洋服の店を営んでいました。あるとき、韓国で製造されたTシャツを仕入れましたが、まったく売れなくて、100円まで値引きしても売れなくて、最終的に東京に持ってきて町内会のバザーに寄付しました。

ひとつ気になることがあります。私がフェイスブックやツイッターで問題提起をすると、「在日のしわざだ」と反射的に返信してくる人がいます。こんな投稿に私は「いいね！」を絶対にクリックしません。

ビューティフル・ピープル Beautiful people

これは文字どおり「美しい人」を広告塔のように使って宣伝をしていく手法です。ヒラリー・クリントン氏とビヨンセの関係性がまさにこれです。ゴルフの石川遼(いしかわりょう)選手を「ハニカミ王子」、秋篠宮家の長女、眞子さまと婚約発表をした小室圭(こむろけい)氏を「海の王子」と呼んだのも、好青年だったからです。

ただ、よく考えてみればわかることですが、人々が魅力的だと考える芸能人や有名人は、そうしたあり方自体がすでにプロパガンダ的です。美しいライフスタイルを宣伝するためにCMに出て、イメージキャラクターとして思いを語る「演技」をします。

不思議なもので、広告のなかでおいしそうに食べ物を食べ、ビールを笑顔で流し込むのも、新製品の洋服を着こなしているのも、化粧品の効果を実感したりするのも、有名か無名かは別として、みんな美しい人ばかりです。

結局、美しい人の真似（まね）をしたい、あるいは美しい人と同じことをすれば、自分もその人のように美しくなれるかもしれない、という思いを、少なくない大衆が持っているという何よりの証拠です。ちなみに、アメリカでアルコール性飲料をCMのなかで実際に飲むことは禁止されています。子どもに酒を飲むことがかっこいいと洗脳することが衛生上よくないという考え方です。それから、ファッションモデルが異常にやせていることが、女性の拒食症につながるので問題だと訴える活動家もいます。

支持者を増やしたいのであれば、政治的プロパガンダにこのテクニックを利用しない手はないわけです。ただし、その広告塔がスキャンダルに巻き込まれることに要注意です。

個人崇拝 Cult of personality

ショービジネスで典型的に見られる現象です。日本人でいえばミュージシャンの矢沢永吉氏が代表例でしょう。

崇拝するほど心酔している人であれば、フォロワーは言うことをなんでも聞く、というより進んで真似をしたくなりますから、ビジネスはずっとたやすくなります。いわゆる「旬の芸能人」が宣伝するものは、その知名度と好感度のおかげでなんでも売れるわけで、広告料も高くなります。

いまではインターネットの時代ですから、マスコミを通じた「大規模」な個人崇拝だけではない形態も現れています。数は多くなくとも、自分を崇拝してくれる人が一定数いればそれなりのビジネスになるわけです。ユーチューバーはその形態でしょう。

そして、同じような現象は政治の世界でもよく見られます。れいわ新選組の山本太郎氏も、支持層が大きく広がっているとは言いがたいですが、一部でカルト的な人気を集めているために、ポピュリズムと結びつきやすくなります。

反対に、有無を言わせない個人崇拝のパターンもあります。共産党の歴史は個人崇拝と強く関係していますし、現在の中国共産党はいわゆる「習近平思想」を打ち出し、国内マスコミ記者に「理解度」を試すテストを課すと言います。習近平個人に対する崇拝を強化しようという偶像化なのでしょうが、これはボトムアップで発生しているわけではないため、きっかけがあれば一挙に崩れかねないものです。事実、共産党の権力闘争のなかではよくあったことです。言うまでもなく、北朝鮮の金王朝も同じです。

敵を悪魔に見せる Demonizing the enemy

これは文字どおりそのままです。レッテル貼りとも少し似ていますが、宗教との関係が深いといえるでしょう。アメリカでは、人工妊娠中絶を推進している勢力を「子どもを殺す悪魔」に仕立てるなどといったプロパガンダが頻繁に行われています。日本では「悪魔」という言葉への宗教的な嫌悪感がないため、この手法がそのまま用いられるわけではありませんが、似たようなテクニックはよく見かけます。「悪徳販売組織」というのは、根拠なく相手を恐ろしい存在のように見せかける方法です。書籍やインターネット記事のタイトルなどで見られる「○○の正体」というタイトルも、「正体」と書かれてしまうことで普段は大衆の目に見えないようみずからの姿を注意深く隠しているような印象をひと言で与えることができます。何を隠そう、私も『米国人弁護士だから見抜けた　日弁連の正体』（育鵬社）という本を出版しています。

また、正式に「イラン革命防衛隊」は、アメリカやサウジアラビア政府に「テロ組織」と指定されています。日本では、日本共産党が公安調査庁に「破防法に基づく調査対象団体」とされています。当然、これらの事実をプロパガンダに使えます。

自信や自尊心を失わせる Demoralization

敗戦後の日本においてアメリカが使った典型的なプロパガンダ、「WGIP（ウォー・ギルト・インフォメーション・プログラム）」が、まさにこれです。日本は敗戦国であってすべてを受け入れるしかないこと。自虐史観と愛国心への罪悪感。アメリカは徹底して日本人の自信や自尊心を取り除こうとし、それは残念ながらかえってアメリカの利益を失わせてしまうくらいに成功してしまいました。

じつは戦時中も同じような作戦が行われています。ビラや放送を使い、「日本はこんなに負けている」とか、「早く家に帰って家族と温かいご飯を食べよう」などという情報を流すわけです。これは日本側も同じで、あの有名な女性アナウンサー集団の「東京ローズ」は、やはりアメリカ軍兵士に向けて同じようなことをラジオで放送していました。内容はきわどく、「あなたの奥さんはいまごろ本国でほかの男と寝ている」などと流し、厭戦のためのプロパガンダを行っていました。

現在でもこの手法が使われることはめずらしくありません。その典型は企業におけるリストラやパワハラ、虐待でしょう。

辞めさせたい相手が決まったら、その人が会社でいままで培ってきた自信や自尊心を失わせるように仕向けます。あなたがしていることは無意味だ、あなたのせいで同僚の休日や給料が削られている、みんな内心、あなたが辞めたらいいと思っている……こうしたパワハラのテクニックは相手の士気を殺ぎ、自発的に辞めさせるよう誘導させる助けになるわけです。間接的な方法として、窓際族に回すのも同じです。

虐待は、虐待される人の人格を破壊します。ただ、リストラと違う点は、自尊心を破壊されることで服従を強いるように仕向けることです。虐待を受けているのに、その相手しか自分を守ってくれないかのように思い込むため、逃げようとはしないのです。自信や自尊心を失うと依存症的になりやすいからです。DV被害者に多く見られます。

幸福感 Euphoria

幸福感の演出の典型は、「祝日に行う軍事パレード」です。

まず、何かを祝うための休日を政府が設定するだけで、人々の気分はシンプルに高揚します。もし祝う対象に関心がなかったとしても、ただ仕事が休みになるだけで十分うれしいからです。

そのうえに、祝日を盛り上げるイベントがあると、なお高揚します。ここに、プロパガンダの内容を交ぜておくと、非常に受け入れられやすくなります。「軍の創立記念日」のための休日だった場合、軍のおかげで今日は仕事をしなくてもいい、という段階から、やがて力強い軍事パレードを見せられて愛国心を高揚させられるようになります。

どこの営業部隊も決起大会、表彰式、コンベンションなどを定期的に行います。そうすることによって、メンバーに達成感を持たせて、さらに努力する決断をさせます。仕事の原動力になります。

つけ加えると、こうしたイベントを多くの人と共有するだけでも幸福感を増します。トランプ大統領の政治集会の盛り上がりは異常とも言えるほどです。

これは、日本の天皇陛下即位のさまざまなイベントを考えればよく理解できるでしょう。日本の皇室がプロパガンダをする必要はないでしょうが、プロパガンダをしたい勢力はこうしたシチュエーションを利用することを忘れません。政治家や企業などがお祭りに顔を出すのも、幸福感を使って主張や宣伝をしたいと考えるからです。

恐怖、不安、疑念（FUD）Fear, uncertainty, and doubt

ＦＵＤとは、頭文字を取った短縮形です。

人々に将来に対する恐怖や不安を感じさせると、自分の主張に耳を貸してくれる人が増えます。その際、根拠はあまり必要ではありません。

トランプ大統領になって以来、ＰＲＣとの貿易戦争にもかかわらず、アメリカはまずまず好景気で走ってきました。しかし、民主党は「いまに景気が悪くなる、来年はどうなるかわからないぞ」と疑念を煽ります。そうかもしれないと信じてしまった人は、トランプ大統領を信じなくなり、防衛的な態度を取り始めます。来年の収入が減るかもしれないなら、いまのうちから消費や投資を控えようとか、いまよりあとで買ったほうが安いのではないかと思って買い控えを始めたりします。ＦＵＤは不吉で、そのほかの考えより優先する人が少なくないから、そこをプロパガンダの突破口として利用するのです。

旗を振る、愛国心に訴える Flag-waving

言葉のとおり「旗を振る」という行動に代表されるように、具体的な行動をさせることによって、国や政党、特定の集団や思想、グループなどに気持ちを寄せ、かき立てる効果があります。人種がバラバラで国がつくられた経緯も複雑なアメリカでは、この手法が多用されます。星条旗を振り、国歌を歌わせ、ことあるごとに誓いを述べて互いの愛国心を確認するわけです。気持ちをまとめることができると考えられる一方で、過度に用いると理性を失わせてしまい、極端な愛国心に走ってしまうケースもあります。かつての日本がそうですが、文化大革命のPRCも、北朝鮮の金王朝に対する忠誠心も同じようなものでした。

こうしたケースで使われる「ツール」には、旗（国旗など）のほかに、歌やユニフォーム、最近ではSNSのアイコンなどもあります。政治演説もあります。国歌を斉唱し、国旗を掲揚することは何も悪くないのですが、そうした行動による気持ちの高揚を利用しようとする勢力がいることは知っておいていいでしょう。

印象操作 Transfer

私たちが日常的に接している代表的なプロパガンダです。何度か述べている、第三者に知人を紹介する際の順序と似ていますが、要するに情報を伝えられる側の印象は、同じ内容でもどう伝えるかによってかなり操作できるわけです。かなり悪質な場合が多いです。

テレビを考えてみてください。話の順序だけでなく、テロップの出し方や色、書体、映像素材の切り取り方、ナレーションの口ぶり、BGMなどを工夫するだけで、同じ情報をポジティブにもネガティブにも伝えることができます。もっとわかりやすくいえば、同じ映像素材を流しているとき、画面下のワイプのなかに笑顔の若いタレントがいるか、むっつりした表情の左派のジャーナリストがいるかによって、受け取る印象はかなり違うはずです。

さらに、インターネットニュースの増加と競争の激化によって、見出しによる印象操作ももはやめずらしくなくなってきました。彼らは政治的な意図というよりはクリック数を稼ぎたいためなのですが、芸能人のちょっとした冗談の発言を、「タレントAがBに激怒！」などと、さも本気であるかのように見出しとして切り取り、受け手の印象を操作してクリックさせる手法はありふれています。くだらない記事を読まされて怒りを覚えたことがない人はいないでしょう。

問題は、こうしたテクニックを報道番組がなりふり構わず使っていることです。とにかく安倍政権を貶めたいために、安倍総理の映像素材を使うときは疲れているような表情を持ってきて、おどろおどろしいナレーションやテロップをつけます。冷静に言えば、こうしたコンテンツを制作する人たちにとって、同じ素材をどんな印象で見せるかは自由自在で、結論に合わせてどうとでも処理できるのです。その点は割り引いて受け止める必要があるでしょう。

❹ ウソや策略を使う Using Falsehoods and Trickery

相手の発言に対してではなく、いわれのない個人攻撃 Ad hominem

議論において相手を攻撃する際、本来は議論の内容、相手の発言を批判すべきですが、わざとそうせず、相手の人格や属性を責め立て、批判する手法です。「憲法第9条で平和は守れない。むしろ戦争の可能性が増してしまう。一刻も早く改憲すべきだ」という発言をする人に対して、その議論の何が間違っているのか、あるいは平和を守る別の方法があるのかという議論ではなく、「あなたはファシストだ」とか「人殺しだ」などと人格を攻め始めるのです。「トランプはナルシストだ」でも「百田尚樹はレイシストだ」でも同じことです。議論において人格攻撃に走るのは、そもそも卑怯な手段です。

日常でも同じように使われます。反論の際、たとえば「だって、お前はオカマ（ゲイ）だろう？」「前科者なのに」「センスないくせに何言ってるの？」「田舎者にはわかりませんよ」「あなた、在日でしょう？」「黒人の言うことなんて信用できない」などなど、発言内容ではない部分へのいわれのない批判は挙げればきりがありません。

誹謗中傷 Slander

レッテル貼りの解説の際も説明しましたが、ここでは「いわれのない個人攻撃」と併せて解説しましょう。

相手の人格や属性を責め立てるテクニックです。本人だけでなく、その属性を全体として貶める場合もあって、その人がしている主張をすべて信用できないかのように思わせることが目的です。

アメリカであれば「権力の立場を、個人の利益に利用している」と言って、信用できない人物のように見せかけるようなことがよくあります。目的が「大衆にネガティブな存在と思わせること」なので、必ずしも事実とは関係がありません。感情優先で、合理的なファクトは気にしません。簡単に言えば、一種の、もしくは本物の名誉毀損になります。陰口もこの類いです。人への信用を貶めるのに、たとえ言った内容が本当のことであっても構いません。

身近なところでは、子どもはよくあだ名をつけ合いますが、なかには、いま考えるとずいぶんひどいものもあります。体が小さい子、いつもおならばかりしている子、食事が遅い子、運動神経が鈍い子……そうしたポイントをあげつらってあだ名をつけます。つけられた側には、他人より優れている面もあるだろうに、変なあだ名のせいでそうしたポイントは無視、あるいは軽視され、つねにバカにされているような状況にもなりかねません。

人の名声を傷つける Smears

名誉を傷つける行為は場合によって違法ですが、プロパガンダの世界では案外気にせずに行われているものです。「○○議員は中国のハニートラップにかかっている」でも、「人気男性タレント○○に隠し子」でもいいのですが、人の名声を台なしにするためなら、事実も想像も妄想もごちゃごちゃにして攻撃してきます。週刊誌がいい例です。

本来なら、議員であれば政治活動を批判すべきですし、人気男性タレントであれば芸能人なのですから芸について批判すべきです。しかし、プロパガンダはとにかく人間性を悪く見せることに主眼が置かれますから、何が対象でも構わないわけです。有名な人、社会的地位がある人であれば、誰でもターゲットになりえます。

２０１７年10月からアメリカで #Me Too 運動がさかんになっています。かつてセクハラや性的暴行を受けた女性がＳＮＳで被害体験を告白、共有しています。大勢の大物男性が指摘を受けて権力の座から引きずり下ろされています。その男性たちは大変な被害を受けていますが、被害者の女性の名誉が回復されるので、幅広く社会に支持されています。

大きなウソ Big lie

これは説明が不要でしょう。どうせウソをつくなら、スケールが大きいほうがいいというわけです。共産主義で平等な社会を実現できる。第１次世界大戦によって不当に壊されたドイツの栄光。核を廃絶すれば世界が平和になる。ユダヤ人が世界の金融界を独占している。このままでは地球はあと12年で終わる。……どれもウソですが、非常に大がかりなため、そのなかでさまざまな細かいポイントが正当化されていきます。また、第２章で紹介したように、ウソは１００回繰り返せば真実に化けます。

半面の真理（しか含まない言葉）、いいとこ取りすること Cherry picking (fallacy) or selective truth

自分たちが有利になるように、全体の「半面」、つまり一部分だけを切り取ったり、いいとこ取りしたりして伝える手法です。

プロパガンダを仕掛ける側は、自分たちの説に有利な部分だけを選び、そこだけを強調します。英語でいう「チェリー・ピッキング」のチェリーはまさにサクランボのことで、おいしそうに見える実だけを取って、あとは残していくというニュアンスです。サクランボは事実や真理のたとえで、自分に有利な部分だけをつまみ食いするわけです。

アメリカでは最近、トランプ大統領が指名したブレット・カバノー連邦最高裁判事が、かつてセクハラを働いていたとワシントン・ポストなどが報じました。しかし、この報道自体が根拠の怪しい書籍からの引用であっただけでなく、カバノー判事本人にはそのような覚えがないことをいっさい伝えていませんでした。つまり、トランプ憎しで報道するあまりニュースの全貌を伝えなかったのです。これは読者も騙す行為です。

日本でも似たような事例がありました。小泉進次郎環境大臣が就任早々、国連気候行動サミットに出席するために訪れたニューヨークで、「気候変動問題は、楽しく、クールで、セクシーに取り組むべき」と発言したことが物議を醸しました。というより、これはマスコミや、報道を受けた一部の人々が勝手に「物議にした」と言うべきでしょう。小泉大臣のこの発言だけにかぎって言えば、英語の話者である私はなんら恥ずかしいとか、ふさわしくない言葉づかいとは感じませんでした。こうした場で言う「セクシー」とは、もちろん性的な意味ではなく、現代っぽく魅力的な、今風でかっこいい、気がきいている、といったようなニュアンスで、「セクシーな取り組み」という使い方はまったく問題がありません。

もっとも、このケースでは、小泉大臣を批判していた人たちに、たんに英語の知識やセンスがなく、勝手に誤解していただけではありません。この「セクシー」という表現を、彼の前に話したもうひとりの女性のパネリストが使ったので、それにつないでいただけです。半ばジョークのようなものでした。だから、「セクシー」という言葉を日本語話者が受け止める半面的な意味だけでわざと曲解し、小泉大臣や安倍内閣を批判したかったと考えなければならないでしょう。

（ねつ造を含む）虚偽情報 Disinformation
真実を一部含む虚偽情報 Half-truth

この2項は、前の項目とはやや違い、「まったくの（ねつ造も含む）虚偽情報」、または「一部だけ真実を含む虚偽情報」です。前の項目は、真実の情報をどう切り取るかが問題なのに対して、こちらはウソがメインになっているというわけです。

まったくのウソは、文字どおりまったくのウソです。いわば「創作」された情報であって、たとえるなら会ったこともない芸能人同士の熱愛報道です。

一方、「真実を一部含む虚偽情報」は少々違います。会ったことはある芸能人同士の熱愛報道ですが、実際は虚偽と言えばいいでしょうか。たんなる飲み会の終わり、タクシーの前で酔っ払った女性芸能人がバランスを崩し、見送る男性芸能人にもたれかかる瞬間を偶然隠しカメラで収めた。ここにまったくの虚偽である交際情報をくっつけて記事にすると、もたれかかっている写真があるために、虚偽のプロパガンダも断然真実のように見えてくるわけです。

また、2018年1月、トランプ大統領は、「アメリカ史上最低の黒人の失業率を達成した」とツイートしました。たしかにそうでしたが、2010年(バラク・オバマ政権のとき)からずっと下がり続けていたことは言わなかった。あるいは、飲酒運転の検問で止められたドライバーは、「ビールを2杯だけ飲みましたよ」と言うけれども、それ以外にウオツカを3杯飲んだことを言いません。これらの例の特徴は、言ったことが真実でも、ごまかすつもりで言ったところにあります。

虚偽告発、誣告（ぶこく）、濡れ衣（ぬれぎぬ）、冤罪 False accusations

虚偽告発、誣告とは、他人を陥れるために、わざとやってもいない罪で告発することを指します。要するに、やっていない話をでっちあげて、相手を攻撃する手法です。加計学園事件がこれでした。

実際に裁判に持ち込まなくとも、相手を攻撃する際に「どうせお前、悪いことやっているんだろう?」とか、「この情報だって、どこかから盗み出したものなんだろう?」などとなじる行為も、広い意味でこの手法に該当します。

実際に司法の場に持ち込むこともできます。不十分な証拠を覚悟のうえで、とりあえず告発してしまうのです。結果的に嫌疑なしとか不起訴になるわけですが、ニュースには告発しただけで流すことができます。告発したこと自体は真実だからです。

半面、攻撃を受けた側は案外できることがありません。していない犯罪をでっちあげられなくても、「告発された」というニュースは「不起訴だった」というニュースより派手に伝わります。そして、あとから訴えた側を名誉毀損や損害賠償で訴えても、時間がかかりすぎるわりに取れる額もたかが知れています。

相手から奪えるイメージと支払うコスト（損害賠償）を考えれば、これは案外、「使える」プロパガンダの手法になりえるのです。

ウソと詐欺 Lying and deception

文字どおりの意味でとくに説明は不要でしょう。本書で繰り返してきたとおり、性善説に浸かっている日本は、ウソと詐欺に十分に警戒しながら政治や外交を心がけなければなりません。

日常でも、100％ウソの詐欺話はあふれています。仮想通貨、未公開株、海外の怪しい債券など、おいしい儲け話にはくれぐれも注意してください。

ガスライティング Gaslighting

由来については長くなりますので省略しますが、これは簡単に言うと虐待、いじめ、洗脳の一種です。

ある集団内で、攻撃したい相手を仲間はずれにするために、その人に関するさまざまなネガティブ情報を流し、その人の発言にいちいち反論し、否定します。やがて周囲の人もその人をネガティブな目で見るようになります。すると、なぜか攻撃を受けている本人も、「自分が悪いのかもしれない」「自分には価値がないのかもしれない」と考えるようになってしまい、攻撃を受けてむしろ当然だと思ってしまうのです。

やがて被害者は洗脳されたような状態になってしまい、むしろ加害者に依存し始めます。この手法を用いているのがカルト集団です。また、ＤＶの被害者がなかなか家庭から逃げられないのはそのせいです。

手が込んでくると、さんざん攻撃したあと、最後の最後に「持ち上げる」というテクニックを使うこともあります。「ダメだ」「間違っている」「すべてくだらない」などと罵倒しながら、ギリギリまで追い込んだところで、「でも、頑張っているところを知っている」とか、「それでも、そんなダメなお前を大切に思っている」とつけ加えるわけです。これで被害者はますます加害者に依存するようになります。自分が悪くて相手を怒らせてしまっているのに、相手はそれでも自分のことを考えてくれていると思えるからです。

（声明や質問について）連想を生じさせる意味合いを含み、しばしば誤解させたり影響をおよぼしたりするよう意図する言葉 Loaded language

少し長い訳になってしまいますが、ローデッド・ラングエッジとは、簡単に言うと、「言いすぎな表現」ということになります。通常の意味以外に、言外の意味、含蓄、含意を含む表現を意図的に使うことです。通常はネガティブなイメージを連想させるために使われていますが、ポジティブにも使えます。

少しやせ気味な人を「ガリガリ」と表現する。不健康だと連想します。保守的な性向を持つ人を「ゴリゴリの保守派」と呼ぶ。右翼のイメージを連想します。誇張を含んだ表現です。

宣伝でも、規制がない場合はこの手法をよく目にします。「最も◯◯」「いちばん××」といった最上級の表現は、根拠もないのに多用されます。私はかつてアメリカの地元新聞が「世界最古の王族」としてあるヨーロッパの話を書いたのを見つけ、「世界最古は日本の皇室だ」という抗議の手紙を送り、訂正させたことがあります。ちなみに、それからその新聞は最上級の表現をほとんど使わなくなりました。

この例はたんに手抜きなだけですが、主観的に最上級表現を使っている場合はプロパガンダを疑ったほうがいいでしょう。「菅直人政権は史上最悪」などと書いている人がいますが、政権同士をどう比較すればいいのか客観的な基準はありません。また、「いっさい発がん物質が含まれていない」と言っても、発見されていない発がん物質もあるはずなので、ありえない話です。

文脈と違う意味になるように部分的に引用する Quotes out of context

前後の文脈を無視して引用するのは、テレビ局、もっと言えば報道番組が得意とするテクニックです。生放送ならいいのですが、録画の場合、長い時間話すと、都合よく切り取ることで話し手の意図とは違うような主旨で伝えることができます。私も安保法制の当時、TBSから取材を受け、30分ほど話をしたところ、最も私の主張から遠い部分を80秒ほど切り取られて使われました（笑）。

この典型例は、安倍総理のいわゆる「こんな人たち」発言です。2017年の東京都議会議員選挙の応援演説での一節ですが、選挙期間中に演説を妨害するという、およそ反民主主義的な行動に出た人への発言だったのに、マスコミは故意に政権を支持しない人を軽視するかのような文脈で使いました。

マスコミは、すべてをそのまま流すわけにはいかない以上、編集する。そして、編集する権利はマスコミ側にあるというロジックで、こうした情報操作を事実上、当然起きる問題だと考えています。私たちは、マスコミとはそういうものだという考えをつねに頭に置きながら、編集された映像や、ひと言だけを切り出してつくった見出しを見なければなりません。プロパガンダのために、意図を曲げられているかもしれません。

SNSのなかでも、よく見られる問題です。過激な発信ほど、その可能性が高いので、反射的にリツイートしないようにしましょう。

身代わり犠牲、責任を他人になすりつける Scapegoating

スケープゴートでも十分に意味は通じるでしょう。他人に責任をなすりつけ、身代わりになってもらうのもプロパガンダのテクニックです。東条英機(とうじょうひでき)元総理に代表されるA級戦犯、戦後はタブーとなった教育勅語や修身の授業。それら自体が日本を敗戦に導いたわけではないのに、古い時代の誤りの象徴として、身代わりとなったわけです。要するに、その他大勢の日本人を「無罪」とするためのショーだったわけです。

昔のことだからと笑ってはいられません。会社でも何かトラブルや事故が起きれば、「ちょうどいい立場の人」が責任を負わされることはよくある話です。まずまずの地位はあるが、会社での基盤は薄く、いなくなっても大きな問題にならない人が選ばれ、責任を取るかたちで去っていきます。鳶職(とびしょく)では、事故があった場合、いちばん若い人が責任を取らされるようです。

上場会社の粉飾事件があれば、どなたかが犠牲になりますが、本当の責任が誰にあるかは問題になりません。それ以上に組織を守ることを優先するからです。

いずれにせよ、不都合があるとき、人のせいにしようとする傾向が根強くなります。

主張を既成事実として伝える Unstated assumption

これは営業の際によく使われる手法です。自分が押し通したい主張がある場合、それを「すでに決まっていること」として話に織り交ぜ、どんどん展開していくのです。すると、聞いている相手は、その話が真実であるかのように思い込んでしまいます。セールスのクロージングに最高の技術です。相手が当然、製品を購入する前提で話を展開していくと、その相手はとても断りにくくなります。

エネルギー問題を語るとき、地球温暖化、あるいは温暖化が人間の影響であるという主張を、あたかも既成事実として伝える人が少なくありません。その前提で、しかし根拠は示さず、当然のように語っていきます。聞き返せば、「そんなこと、当然ですよね?　まさか、知らないんですか?　疑うんですか?」と言われそうです。

疑いのない事実、既成事実として語られる文脈はじつにたくさんあります。増税は将来世代のためにしかたがないこと、慰安婦は性奴隷だった、日本の朝鮮半島統治は不法だった……などなど、プロパガンダを仕掛ける側は、有無を言わせず、前提として盛り込んでくるわけです。これは結局、「○○はがんに効果的なんですけど、この商品は○○が1カプセルで簡単に……」というセールスのフレーズと同じなのです。○○ががんに効果的なら、それは医薬品になっていなければおかしいはずです。しかし、勢いよく主張され、すぐに次の話を展開されてしまうと、疑いを向けることが難しくなってしまうのです。

❺ 人の行動の傾向、思考能力、心理過程を弄ぶ Playing on Human Behavioral Tendencies, Mental Capacities and Processes

主張（とくに簡単なスローガン）を呆れるほど繰り返して言う Ad nauseam
伝えたい情報を選んで、何度も繰り返して報道すること Managing the news
執拗(しつよう)な繰り返し Repetition

この3つはほぼ同じ内容です。「ウソも100回言えば真実になる」という言葉が、まさにこのテクニックの内容を示しています。たとえ根拠のない情報、まったくのウソでも、毎日毎日、同じ内容を繰り返し聞かされ続けると、やがて本当のことのように思えてくるのです。「安倍総理は加計学園のために働いた」「トランプ大統領は最悪の大統領」「福島第一原発で保管している水を海に流せば大変な放射能汚染になる」「米軍普天間(ふてんま)基地は世界一危険な場所だ」「憲法を改正すれば戦争になる」「安保法制は戦争法案だ」……こうしたフレーズは、根拠がないか、ウソです。しかし、毎日見ているニュースでそれが流され

続ければ、疑うこと自体をしなくなります。

ところで、テレビコマーシャルはじつはこの手法そのもので、「Ad nauseam」とは、広告を視聴者が「吐き出したくなるほど」頻繁に流すという意味です。テレビやラジオを習慣的につけたままにしていれば、「害虫駆除は○○にお任せ」「車検のことなら××」「英会話なら駅前の△△」「風邪には早めの◇◇」などと、のべつ幕なしに繰り返されています。とくに地方局の深夜がそうです。やがて英語を勉強したくなったり、風邪を引いたりしたら、よく考える前に、繰り返し聞かされ続けたフレーズを思い出して行動に移してしまいます。

課題（論点や優先順位）を設定すること Agenda setting

これは、議論などのテーマを設定するとき、その場を支配したいという目的のもとに、あらかじめ範囲や優先順位を設定してしまう行為です。自分に都合よく、自分が言いたいことだけに限定して設定してしまい、不利なこと、都合の悪いことは相手が知らないうちに除外します。こうして議論の場を乗っ取ってしまうわけです。

じつはディベート競技では、第1話者（肯定側）が議論の範囲を指定します。うまく設定すれば、勝負は事実上、その時点で決まります。高校時代、私は弁論部にいましたが、この手法でかなりの好成績を残しましたよ。

「今日は○○のことだけ話をしましょう」とか、「この会議で××について結論を出しましょう」などと規定し、そのまま走ってしまえばほかの話はできません。あるいは「いま、5分しか時間がないので、とりあえず私が話しますね」と宣言してしまえば、相手の発言を丸ごと封じることもできます。

便乗する、乗り遅れる恐怖、(悪い意味で)風を読む Bandwagon

心理学で言う「バンドワゴン」についてご存じの方も多いかもしれません。大衆が集まっている様子を見ると、自分も乗り遅れてはならないと焦り、何に群がっているのかよく知らないまま便乗するという心理ですが、プロパガンダにも有効です。

とくに日本人は、文化的な経緯から、他人と違うことに不安を覚えやすいと感じます。かつてはルイ・ヴィトンのバッグ、最近ではタピオカでしょうか、みんなが使っているもの、みんながいいと言っているものには必ず首を突っ込み、勝ち馬に乗りたがります。

日本の民主党への政権交代の際もそうでした。麻生(あそう)政権を批判することが流行となり、政権交代の可能性が色濃くなると、さらに民主党の人気が加速します。これは、民主党が掲げている政策を目指して人が集まっていると言うよりは、人が集まっているからさらに集まっている、と言ったほうが適切だったでしょう。そして、マスコミがその動きをしつこく煽りました。しかし、和の中心にあったはずの「民主党の政策」というワゴン（コンクリートから人へ、事業仕分け、尖閣（せんかく）諸島問題への対応、東日本大震災と原発事故への対応など）はあっさり倒れ、あんなに群がっていた人はどこかにいなくなってしまったわけです。

ほかにもいい例があります。ＰＲＣがＡＩＩＢ（アジアインフラ投資銀行）を設立したとき、アメリカと日本以外の主要国はほとんど参加しました。とくにイギリスやドイツなどのヨーロッパ主要国も加わっていたことに、日本国内では心配の声も上がりました。日本もＡＩＩＢに参加しなければ、アジアの成長に乗り遅れるのではないか、というわけです。実際、ＡＩＩＢの実績は伸びておらず、習近平の覇権志向も明らかになって、多くの国が反対に懸念を持つようになりました。いま考えれば、当時ＡＩＩＢへの参加を促していたのは、ＰＲＣの息がかかった論客だったのかもしれません。日本の判断は決して間違っていませんでした。

クラシカル・コンディショニング Classical conditioning

日本ではいわゆる「パブロフの犬」と言ったほうがわかりやすいかもしれません。犬に向かって特定の音を聞かせ、そのあと餌を与えることを覚えさせると、やがて犬は音を鳴らされただけでよだれを垂らします。音が餌と結びつくからです。

CMに名が知れたタレントが出てきて、大量に露出されるのも同じです。キャラクターとなっている有名人の顔を見れば特定の商品が思い出されるよう条件づけられるからです。プロパガンダも同様です。「地震大国の日本では原子力の安全を確保できない」「政府と電力会社の癒着で原子力発電所を運営している」「核廃棄物は1万年管理しなければならない」「原子力は決して経済的ではない」などと聞かされ続けると、「原子力は……」と聞いただけで、そのあとに続くものはすべて悪い内容であるかのように考えてしまうようになります。

分裂させて統治する（弱者の結束を防ぐ） Divide and rule

外敵が支配を試みるとき、対象の内部を分裂させる工作を行うことはきわめて基本的な戦略です。本書でも述べましたが、左派がいわゆる「弱者」探しをして、アイデンティティを植えつけ、ほかの勢力と戦うように支援するのも、社会を分裂させ、たくさん溝をつくったほうが支配しやすいからです。

どこで線を引くかによって、いろいろな方法が考えられます。アメリカなら、人種や宗教、地域などが有力な候補に挙がるでしょう。日本はそうした意味では結束が固い社会ですが、沖縄やアイヌなどの独自の文化や歴史を持つところに入り込み、東京を中心とする日本を敵対視させるといった方策が考えられます。

アメリカが戦後の占領政策で日本共産党を残した理由もじつはこれです。日本が天皇を中心とした軍国主義国家で、再びひとつにまとまりかねないと信じていたため、対極としてそれとは違う勢力を残しておく必要があると考えたのです。そして、思いのほか日本共産党や左派政党が強くなると、今度は反対に規制を始めます。東西冷戦が本格化し、日本の中枢を抑えた以上、分裂させておく必要はなくなったからです。

同様のテクニックは、大きな会社でもよくある話です。経営者がわざと部下をいくつかの派閥に分けて争わせることで業績を上げながら、しかし全体としての支配力を担保し続けるのです。日産（にっさん）自動車の会長だったカルロス・ゴーン氏がまずかったのは、こうしたやり方を取らず、全部自分で統治し始めたからでしょう。

どちらにしろ、日本では50人以上集まれば、自然と派閥ができあがります。これをうまく操ることが経営者や指導者の最優先課題のひとつです。

ドア・イン・ザ・フェイス・テクニック Door-in-the-face technique

マーケティングに関心がある方ならよくご存じのテクニックです。わかりやすく言えば、はじめに法外な定価を示しておいて、あとから大幅に値引きして買わせるテレビショッピングでおなじみの展開です。

アメリカではシアーズ社のテクニックが知られています。買わせたい洗濯機があるとします。それより高級な洗濯機と、それより安い洗濯機を用意します。この場合、顧客にまずいちばん高い、高機能な洗濯機を十分すすめます。それを買ってくれればいいのですが、迷っていたら、次に本命の洗濯機をすすめるようにします。間違っても、いきなりいちばん低価格の商品をすすめてはいけません。

こうした手順を踏むと、本当ならいちばん安い商品を値段だけで買おうと考えていた人も、真ん中の商品を買ってしまいます。しかも、まるで自分で値段を選んでいるような錯覚に陥ってしまうのです。

フット・イン・ザ・ドア・テクニック Foot-in-the-door technique

こちらも有名な手法で、いわゆる「エビでタイを釣る」ものです。

代表例はスーパーの試食コーナーです。目の前で無料サンプルを提供されると、味がわかるという以前に、ただでもらってしまったのに、買わないなんて悪い、と思ってしまいます。

新聞販売員が配る洗剤、化粧品などの無料サンプルや通販の「無料お試しセット」なども同じです。日本人風に言えば「義理」を刺激しておいて、買わなければ悪いという方向に誘導します。

プロパガンダにも簡単に応用できます。まずは無料でいろいろな景品やイベント、ウェビナー（ウェブセミナー）を提供することで人を引きつけて関係をつくります。ある程度、気心が知れたところで少しずつ本題に引っ張り込み、「よくしてもらっているのに断ったら悪いな」という気持ちを利用しながら少しずつ洗脳していくのです。

フレーミング（社会科学） Framing

課題を自分で決めることを指します。わかりやすく言うと、お正月のテレビでよく放送されている、超高級品と激安品の見分けに似ています。

音楽はまったくの素人を集め、世界的なヴァイオリニストが駅前の歩行者デッキで演奏している様子と、多少うまい程度のアマチュアが立派なホールのステージで演奏している姿を見せると、音では見分けがつかないため、後者を価値あるものと信じてしまいやすくなります。居酒屋で超高級ワインを、最高級フレンチレストランで1000円のワインを提供されても同じことになります。このように、複数存在する選択肢から意思決定や判断をする際、絶対的評価ではなく、そのときの状況によって意思決定が異なってしまう現象がフレーミングです。

これを応用すると、プロパガンダに乗せて信じ込ませたいのであれば、まずはかたちから入ってくる可能性があるということです。

連座する Guilt by association

日本語で言う「連座」とは少し違います。嫌いな人が好きなもの、嫌いな集団が支持しているものは、絶対に嫌いにならなければならない、信じてはいけないという感覚を指しています。

創価学会が嫌いな人は、なかなか公明党の支持者になれず、機関紙の聖教新聞も読みません。

安倍政権を嫌っている人は、日本会議を目の敵にしています。悪の巣窟のように書いている本を信じています。すると「反安倍」という自覚を持っている人は、日本会議に参加している人は利権をむさぼっていて、いっさい仲よくしてはならないと考えます。私は日本会議で講演をすることがよくあります。ある地方講演をしたとき、「ケントさんは日本会議に出入りしているので危ないよ」とその街のおばさんが言っていたことをある人に言われました。

情報過多 Information overload

情報があふれるのは、時代の宿命と言えるでしょう。マスコミしかなかった時代よりは利点もたくさんあるわけですが、同時に危うい情報がたくさん出回る世の中になってしまったこともたしかです。ツイッターのデマに代表されるように、不確かな情報を安易に信じてしまうのはその典型です。読者のみなさんには、余計な情報は適当にしておいて、「虎ノ門ニュース」をしっかり見ることをおすすめしておきましょう（笑）。

夕方にインターネットを見始めたら、いつのまにか寝る時間になっていたという経験はありませんか？　そのあいだに本当にためになる情報を見ていましたか？　かなり時間をムダにしている人が多いように思います。また、電車のなかであんなに一所懸命に携帯の画面を見ている人は、何を見ているのかと考えることがあります。いつまでもＬＩＮＥのメッセージを打っている人を見て、友だちが多いね、うらやましいとさえ思います。

受け入れの許容範囲に合わせる Latitudes of acceptance

プロパガンダをする場合は、相手が受け入れられる、あるいは拒否反応が出始めるギリギリのところを探って、そこに合わせたレベルを出していくという手法です。

憲法第9条改正で考えると、たとえば私なら、現在の条文をすべて、最低でも第2項は削除し、国防についての新しい条文をつくるべきだと思います。しかし、それでは世論が受け入れないのであれば、第3項を追加する方法を取ることも検討すべきでしょう。これは、どうあるべきかという議論と同時に、どの程度までなら受け入れられるのかという計算でもあります。

民主主義は一般にこのしくみが機能します。政権がいかに力を持っていようと、世論が受け入れられない政策を押し通すことは難しいのです。一方で、ある程度可能なのは独裁政権の場合です。

ギリギリの線の探り方は、すでに述べた「ドア・イン・ザ・フェイス・テクニック」の方法です。俗っぽく言えば、まず「吹っかける」案を出し、そこから下げていくわけです。反対側からのアプローチ、つまり「フット・イン・ザ・ドア・テクニック」も可能です。まずは問題なく受け入れ可能な案を出し、だんだん高めていくわけです。

個人的には、日本にスパイ防止法が絶対に必要だと思っています。無責任野党とマスコミが猛烈に反対するのは目に見えているのですが、タイミングを見て実現してもらいたいのです。ちゃんと説明しておけば国民はついてくると思います。勇気ある政治家、お願いしますよ。

過度のやさしさや愛情を注いで、ほかの人間関係を断たせること Love bombing

直訳すれば「愛の爆撃」ということになるわけですが、これは過度のやさしさや愛情を注ぐことで、自分や自分たちの集団以外との関係を断ち切らせる、カルトに典型的な手法です。

カルト集団は構成員を「出家」させ、財産だけでなく居住地も行動の自由も事実上奪います。そして、彼らに「愛」、あるいは教えでも評価でもいいのですが、そうしたものを一方的に与える関係を築いて、やがてすべてを奪い、意のままに操ります。

この手法は、日常生活にも見られます。ホストクラブやキャバクラに入り浸るようになると、お金を使うことで「愛」が得られます。やがてタイミングを狙い、ホストやホステスは過度の「愛」を注ぎます。すると、依存症的な状況となり、ほかのすべてをなげうってお金を貢ぐようになります。

もっと身近な例は、日本の部活です。顧問の教師による暴力やハラスメントは、たいて

いこの手法がからんでいます。とりわけ連日のように顔を合わせる関係の世界では起こりやすくなります。ほかの人間の考えを聞けなくなるか、聞いてもすぐに否定されてしまうからです。

環境管理 Milieu control

これは非常におもしろい項目です。たとえばポルノ映画をつくる監督は部屋の温度を高くし、ホラー映画の場合は温度を下げるそうです。「エクソシスト」という有名な映画がありますが、非常に寒いスタジオで撮影したと言います。それが俳優の演技を引き出すからです。

いわゆる「成功者セミナー」のようなところでは、まずポジティブな音楽をかけたり、それに合わせて踊らせたりする手法があります。楽しくなってくるように環境を管理し、ポジティブな講義内容を受け入れやすくするわけです。

こんな経験がありました。蒸し暑い夏の沖縄のある日、不動産取引をするために、不動産業者の事務所に入りました。私たちに不利な条件の契約をいち早く調印させたいその業者は、わざとエアコンのスイッチを入れずに話を進めました。暑い部屋からいち早く立ち去りたいという思いから、早くハンコを押させてしまおうと考えたのですが、私たちはその意図を察知して屈しませんでした。

また、ちょっとややこしいローン返済の交渉に立ち会ったときに、債権者は逆に部屋を冷凍庫のような寒さにして改めてきました。これももちろん察知して屈しませんでした。

オペラント・コンディショニング Operant conditioning

オペラント・コンディショニング（条件づけ）とは、行動心理学でよく語られるものです。有名な実験として、棒を引くと餌が出る箱のなかにラットを入れると、はじめのうちは何もわからなかったのに、やがて棒を偶然引くと餌が出てきておなかを満たす経験を得たことをきっかけに、みずから棒を引くようになる、というものがあります。

人間も同様で、ある行動がなんらかの現象、そして好ましい結果（報酬）に結びつくことを学ぶと、むしろ結果を求めて進んで行動をするようになります。反対に、好ましくない結果（罰）に結びつくのであれば避けるようになります。頭が痛い↓薬を飲む↓楽になる、というパターンでは、頭痛のたびに薬を想起するようになりますし、きょうだいに腹を立てる↓騒がしくけんかをする↓親に叱られる、というパターンでは、だんだん腹を立

てもけんかをしなくなるわけです。

プロパガンダもこれを利用できます。パターンをいくつも持っておけば、きっかけを仕込むだけで、大衆を効率よく操れます。

スローガン Slogans

さして説明を必要としないでしょう。ひと言つけ加えるなら、スローガンは短く、わかりやすく、語呂がよく、感情を刺激する語句であり、繰り返し訴えることで効果を発揮します。小泉純一郎元総理の「改革なくして成長なし」というのは、よくできたスローガンの典型例でしょう。

推薦、体験談 Testimonial

テレビの通信販売でみなさんおなじみでしょう。「このジュースで寝起きがよくなりました」「このサプリメントで痛みが軽くなりました」などという体験談による感想は、たとえウソや認識間違いであっても、体験談である以上、本人にとっては真実ですから、責めを受けにくいものです。「私はこう思う」という切り口で、しかも肩書や権威とともに訴えてくる場合はなお効果的です。

ただし、アメリカでは推薦や体験談を発表する人が、じつは役者であって、実際に商品を使ったことがないことがバレて、現在は広告代理店が慎重になっています。キャンベルスープの宣伝でも、具が多いように見えるように具の下にビー玉を入れていたのもバレて大問題になりました。アイスクリームの撮影にマッシュポテトを使ったのも有名です。そのようなこともあって、私は日本のテレビショッピングを見るときになかなか興味を持ちません。アーとかウーとかを連発しているスタジオの観客も毎日同じアルバイトの人たちですよ。

第三者の口を利用する Third party technique

自分が言えないことを、ほかの人、とくに自分より発言力や影響力がある人に言わせるテクニックです。

知らない人から聞かされる話であれば、その人が信用できるかどうか、話が信じられるかどうかによって判断します。しかし、知っている第三者から語られると、話の内容よりその人に対する信頼度のほうが優先されるため、多少コンテクストから外れていても、推薦を聞き入れてしまうわけです。

飛び込み営業の人から直接、急にセールスを受ければほとんどの人は警戒し、話すら頭のなかに入ってこないかもしれませんが、あいだに自分の親や友人が挟まると状況は一変します。そこで、いきなり本人にいかず、本人が聞く耳を持ち、かつ、より説得しやすい存在を利用し、その人の口から言わせるようにすると効果的です。

企業が自社製品を宣伝するとき、一般的には企業の社長がするより、有名で人気のある芸能人に頼んだほうがいいのはこのテクニックを利用しています。独立しているかのように見える第三者で、しかも自分が知っている人の言葉は信じやすくなります。政治家が芸能人を引き入れたがるのも同じですし、ときには政治家同士でも同じ現象が起こります。自民党で知名度がない候補であれば、安倍総理や小泉進次郎大臣に応援に来てもらって、「この人は立派です、応援してください」と言ってほしいはずです。つまり、第三者の信用と名誉をバックに口を借りているのです。

思考停止をさせる決まり文句 Thought-terminating cliché

相手の思考を遮断したり、勝手に話をまとめて終わらせたりする際に有効なフレーズです。例として、「ならぬものはならぬ」とか、「もう決まっていることです」「これがルールなのです」といった決まり文句を浴びせかけられると、そこで話が止まってしまいます。「なぜなの？」「いや、そんなことはないでしょう」「決まっていることでも、もう一度検証しよう」「ルールは破られるためにあるはずだ」というのは、とくに日本人には口にしにくいフレーズです。

外国人として言わせていただくと、私が非常にいやがるのは「日本ではそういうことになっているんです」というフレーズです。「そうやって外国人を騙すんじゃねえ！」と反発します。そう言って私を騙そうとした業者は過去にたくさんありました。賃貸契約の更新時に、「日本では更新するとき、家賃を10％上げることになっています」と言われたり、外国人だから私のオフィスの従業員にアパートを貸せないと言われたり、保証金の返還をめぐって言い争いになったり。もううんざりです。「日本では……」と聞くだけで、相手が私を騙すつもりでいると仮定します。そうではなくても、日本を外国人は理解できないという先入観や偏見に満ちた態度は許せません。

❻ 話しぶりや文体 Speaking or Writing Styles

庶民派アピール Common man

このようなテクニックも、じつはプロパガンダの一種です。トランプ大統領は誰もが知っている大富豪ですが、案外、庶民派をアピールしていると思いませんか？　赤い帽子を好んでかぶっているのは、アメリカの労働者階級を意識したパフォーマンスです。

オバマ政権は、節水のために水圧の制限を義務化しました。それでトランプ大統領は先日の政治演説のなかで、「シャワーの水が出ないので、このすばらしい髪の毛を洗うのに苦労している。食器洗い機は本来なら1時間で終わるのに、2時間かかっている」と、私も含めて誰もが不満に思っている日常的なことを長々と話していました。私まで親近感を持って、その規制を廃止すると聞いたときはうれしかったものです。

選挙になると、政治家は商店街やお祭り、工場などを回ります。それは支持団体のためという一面もあるのでしょうが、もっと大きな目的としては、自分が庶民と同じグループに属しているという親近感をアピールできるようにマスコミに見せたいからです。細かいテクニックとしては、庶民のあいだで流行しているものを自分もやってみる、あるいはわざと方言を使う、といったものもあります。

絶対的命令 Diktat

わかりやすい例は、かつてアメリカで兵士を募集した際のポスターに使われた有名なフレーズ「I WANT YOU」です。絶対的というのは「有無を言わせない」といったニュアンスで、戦争をしているのだから、キミは絶対に兵士になるべきだ、という強いメッセージを含んでいるわけです。選択肢はない、とにかくこうすべきだ、という結論的な言葉で、しかも権力をともなって使われます。

偽悪語法、故意に不快な言葉・表現を使うこと Dysphemism

わざと強烈にネガティブな言葉をつけることで、本来は無害なはずのものを貶め、攻撃の対象にするテクニックです。これはジョークだったり、わざと「悪っぽく」ふるまっていたりする場合もあります。例として、アメリカではよく、クリームとチップド・ビーフを載せたトースト（Chipped beef on toast）を「shit on a shingle」と表現したりします。また、バターが欲しいときに、車軸の潤滑油を求めることがあります。父親はチョコレートのケーキがあまり好きではなかったので、「汚いケーキ」と呼んでいました。

自分に不利なニュースを「フェイクニュース」と呼んだり、日本でマスコミを批判する際に「マスゴミ」といった言葉が使われたりするのもこの手法ですし、安保法制を「戦争法案」とか、人工妊娠中絶支持者を「殺人者」と呼ぶのも同様です。

婉曲表現 Euphemism

こちらは反対に、直接的な表現をわざと遠回しに言うケースです。戦場において売春していた娼婦を「慰安婦」と言い換えるのはその典型です。墓地を霊園と呼んだり、床屋さんを理容室と呼んだり、大衆食堂を定食屋さんと呼んだりします。

難読化、意図的なあいまいさ、混乱 Obfuscation, intentional vagueness, confusion

質問されたとき、わざとはっきり言わず、あいまいにしてごまかすことです。同時に、とにかく関係性を構築したい際は、わざと自分の立場を明確にせず、コミュニケーションを成立させることを優先します。

意味不明、またはわかりにくい言葉を使うことがあります。その典型は小池百合子東京都知事です。単語の3分の1は外来語です。都民を意図的に混乱させている気がします。

安保法制を審議していたとき、なぜ必要かという質問に対して、政府ははっきり「中国の脅威だ」と言えばいいのに、平和を確保するためだと言ったりして、本音はなかなか出ませんでした。はっきり「中国の脅威」だと言ったら、PRCが脅威かどうかという別の議論にすり替えられそうだったので、この手法を用いました。

プロパガンダを仕掛けたいとき、相手が自分の説をすんなり支持してくれるかどうかはわかりません。その段階でいきなり自説を明らかにすると、拒否反応を示される場合があります。そこで、その場ですぐに議論や説得は始めず、たとえ自分の考えに合わなくとも、戦術的にあいまいにふるまうわけです。簡単に言えば忖度(そんたく)です。

ただ、つけ加えるなら、日本の政治家はこのテクニックに頼りすぎだとも感じます。憲法をどうしたいのか、本来ならはっきり答えなければならない局面でも、与党の議員ですらあいまいにふるまうことが少なくありません。官僚ならまだ理解もできるのですが。

議論を認めない結論的発言 Pensée unique

話を単純化、結論化し、有無を言わせないようにするテクニックです。「私に反対する者は抵抗勢力だ」「憲法改正で日本は軍事大国化する」「消費税率を上げなければ年金は破綻する」など、本来はその中身をもっと議論したほうがよさそうなのに、そう言われてしまうと信じてしまう人が増えて反論は抑え込まれます。そして、議論そのものが止められてしまうことになります。

例として、イギリスのサッチャー元首相がよく「ほかに選択肢がない」と断言するくせがありました。「私以外にキンタマがついている男はいないのか」というセリフも有名です。

❼ 理性と常識 Reason or Common Sense

正当化 Rationalization

文字どおり自分がしていることを、いかにもいいことだ、あるいはしかたがないことだと主張する手法です。

信号無視を咎(とが)められたら、「向こう側にいる人が困っているように見えたから急いでいた」とか、「怖い人に追われていた」などと主張します。あくまで自分は悪くないと主張して罰を避けます。

これは日本人にはなじみが薄いかもしれませんが、案外バレバレの悪いことであっても、とりあえずできるところまでは、多少無理なロジックでも正当性を主張してみようというのはそれほどめずらしいことではありません。日本人はとにかく「すみませんでした」とすぐに謝ってしまいますが、私が知るかぎり多くの国では、いきなり自分の非を認めるより、まずは正当化の可能性を探ってみるほうが得られるものは大きそうです。

アメリカがイラク戦争を正当化するために、「大量破壊兵器を保有しているから」と言いましたが、実際はそんな兵器はなかったので、いまとなっては、大半の人たちはその戦争が間違いだったと思っています。

ダイエットをすると決心したのに、友人と食事をするときに甘いデザートを注文して食べました。友人関係を優先したと正当化することができますね（甘党である私の意見）。

泥棒に襲われたときに、携帯していた拳銃で相手を撃ち殺しました。命を守るためだと正当化します。これは法律で認められている正当防衛の範囲内であれば大丈夫です。

往々にして、言い訳です。

徳の言葉 Virtue words

誰もが否定しようがない、きれいな言葉を多用することで、中身がなくとも、さも正当な主張のように見せかけるテクニックです。

「徳の言葉」は、いくらでも思いつきます。平和、希望、幸福、安全、賢明なリーダーシップ、自由、真実、人権、子どもたち、未来、平等、多様性、福祉、ダイバーシティ……こうした言葉を見分ける際は、それが主観的な言葉かどうかがポイントになります。

本来、議論をしていく際には、その言葉が客観的に定義できなければならないはずです。何が「平和」なのか、どういう状況が「自由」なのかがわからなければ話しようがありません。

しかし、プロパガンダにこうした言葉を多用するのは、たんに自己のイメージを賢く、いいものに見せたいだけです。宣伝をより通しやすくするための餌にすぎません。平和と言っていれば、さも平和主義者のように、幸福と言っていれば、さも人の幸福をよく考えてくれるかのように、真実と言っていればウソなど絶対につかないかのように見せかけることができます。

この手法を最大限利用しているのは立憲民主党でしょう。彼らは「立憲」というきれいな言葉を使って、さも自分たちが民主的であるかのように宣伝していますが、じつにおかしい話です。日本にはすでに憲法がありますし、そもそもすべての政党が立憲主義です。彼らが「護憲民主党」を名乗るならまだしも、自分たちだけが「立憲主義を守る党だ」と見せかけるのは典型的なプロパガンダです。

「プロパガンダ」に絶対負けない、たったひとつの方法

プロパガンダ自体は長い歴史がありますが、インターネット時代になったいま、その手法はより細かく、よりお手軽に、そしてより効果的になったように感じます。

大マスコミのプロパガンダが、インターネットを使って暴けるようになった半面、フェイクニュースに簡単に引っかかる世の中になったのもまた、インターネットが背景にあります。

「東京スポーツ」という新聞があります。自他ともに認めるゴシップ誌で、「題名と日付以外はすべてウソ」というジョークさえ聞かれます。ただ、プロパガンダを考えるうえでは、こうした「常識」があることは非常に健全です。流される情報をそのまま受け取らない、という覚悟を、じつは東スポを読むことで毎日確認できていた可能性があります。現在のインターネットニュースには、東スポ以下の妄想に満ちた内容を、さも本当であるかのように垂れ流しているところが少なくありません。そして、読み手も、いちいち疑って読んではいないのです。供給量だけは増え、判断をしないのですから、ただでさえプロパ

ガンダに弱い日本は、ますます危険になっているのです。

プロパガンダに騙されないためには、この本で見てきたような手法を頭に入れておき、つねに情報を取り込む際に自分で調べてみるという姿勢が大切になります。同時に、その繰り返しが考える力を養い、情報を収集するくせを習慣化し、より騙されない自分を育てるトレーニングになります。

そして、プロパガンダはむしろ「使ってこそ」だということも強調しておきたいと思います。すでに日本を貶めようとする勢力は、あの手この手でプロパガンダをしていると考えるべきです。そこに敢然と立ち向かうには、こちら側もプロパガンダを研究し、効率よく使っていく必要があります。それを卑劣だとか、汚い行いと考えてしまうのは日本人の悪いくせです。少なくとも、仕掛けてきている側は、みずからを卑劣な存在と考えてためらったりはしません。

最後に、ケント流のプロパガンダ・テクニックをアドバイスしておきましょう。

私が手法をひとつ加えるなら、プロパガンダは、「元気に、楽しそうに見せる」ことが大切だと言いたいところです。

ハッピーな人の話は聞いてみたいと思います。元気な人には他人が寄ってきます。成功したい人、世の中を変えたい人が、まさか暗く落ち込んでいる人に教えを請うはずはありません。

本書を通読してプロパガンダを知っただけでは、まだ半分の意味しかありません。他人が、日本のメディアが使ってくるテクニックをよく研究しましょう。そして、今度はみなさんが積極的な発信者になるため、むしろ個々のテクニックを使いましょう。正しい考えを持っているだけではダメで、伝わらなければ無意味です。受動的なままでは世論は形成できません。

みなさんの草の根の活動が、日本のこれからを左右します。ともに戦いましょう。

ケント・ギルバート

プロパガンダの見破り方
日本の「本当の強さ」を取り戻すインテリジェンス戦略

2020年3月10日　第1刷発行

著　者　ケント・ギルバート

ブックデザイン　時枝誠一
本文DTP　友坂依彦
構　成　増澤健太郎

発行人　畑 祐介
発行所　株式会社 清談社Publico
〒160-0021
東京都新宿区歌舞伎町2-46-8 新宿日章ビル4F
TEL：03-6302-1740　FAX：03-6892-1417

印刷所　中央精版印刷株式会社

ISBN 978-4-909979-05-6 C0030

清談社
Publico

http://seidansha.com/publico
Twitter @seidansha_p
Facebook http://www.facebook.com/seidansha.publico